La increïble història de...

M

David Walliams

La increïble història de...

LA TIETA
TERRIBLE

Il·lustracions de
Tony Ross

Traducció de
Ricard Gil

montena

Paper certificat pel Forest Stewardship Council®

Penguin
Random House
Grupo Editorial

Títol original: *Awful Auntie*
Segona edició: febrer del 2016
Segona reimpressió: febrer del 2021

Publicat per acord amb HarperCollins Children's Books,
una divisió de HarperCollins Publishers Ltd.

© 2014, David Walliams
© 2014, Quentin Blake, pel *lettering* del nom de l'autor a la coberta
© 2015, Penguin Random House Grupo Editorial, S. A. U.
Travessera de Gràcia, 47-49. 08021 Barcelona
© 2015, Ricard Gil Giner, per la traducció
© 2014, Tony Ross, per les il·lustracions
Il·lustració de la coberta: © Tony Ross

Publicat per Montena, un segell de Penguin Random House Grupo Editorial, S. A. U.

Penguin Random House Grupo Editorial està a favor de la protecció del *copyright*.
El *copyright* estimula la creativitat, defensa la diversitat en l'àmbit de les idees i el coneixement,
promou la lliure expressió i afavoreix una cultura viva. Gràcies per comprar una edició autoritzada
d'aquest llibre i per respectar les lleis del *copyright* en no reproduir, escanejar ni distribuir cap part
d'aquesta obra per cap mitjà sense permís. En fer-ho esteu donant suport als autors i permetent que
PRHGE continuï publicant llibres per a tots els lectors.
Dirigiu-vos a CEDRO (Centre Espanyol de Drets Reprogràfics,
http://www.cedro.org) si necessiteu fotocopiar o escanejar
algun fragment d'aquesta obra.

Printed in Spain – Imprès a Espanya

ISBN: 978-84-9043-418-5
Dipòsit legal: B-5.354-2015

Compost a Compaginem Llibres, S. L.

Imprès a Limpergraf
Barberà del Vallès (Barcelona)

GT 3 4 1 8 D

Per a la Maya, l'Elise i en Mitch

Això és Saxby Hall, la mansió on té lloc la nostra història.

Aquest és
l'interior
de Saxby Hall.

Això és un mapa de la casa i dels terrenys.

HIVERNACLE

PORTA

SAXBY HALL

CAMÍ
D'ENTRADA

GARATGE

LLAC

MUR

Pròleg

Algú de vosaltres té una tieta terrible? D'aquelles que mai us deixa quedar-vos desperts per mirar el vostre programa de televisió preferit? O la típica tieta que us obliga a menjar fins a la darrera cullerada del púding de ruibarbre que us ha preparat, per molt que sàpiga que odieu el ruibarbre? Potser la vostra tieta fa uns petons llefiscosos i plens de bavalles al seu caniche i immediatament després us fa un petó llefiscós ple de bavalles a vosaltres? O bé es cruspeix els bombons més deliciosos de la capsa i només us deixa els de xocolata negra amb licor, que odieu amb totes les forces? Potser la vostra tieta us obliga a portar aquell jersei que pica tant fet per ella, que us va regalar per Nadal? El mateix que a la part del davant du escrit ESTIMO LA MEVA TIETA en lletres enormes de color porpra?

Per molt terrible que pugui arribar a ser la vostra tieta, mai podrà ser tan terrible com la tieta Alberta.

La tieta Alberta és la tieta més terrible que ha existit mai.

La voleu conèixer?

Ja m'ho pensava.

Doncs aquí la teniu, en tota la seva terrible terribilitat.

Ulls negres i afilats

Gran òliba de les muntanyes bavareses

Monocle

Gorra d'anar a caçar cérvols

Cabells vermells

Ganyota permanent

Pipa

Penjoll de mussol

Guant de cuir gruixut

Jaqueta de xeviot

Pantalons bombatxos

Botes amb punta d'acer

Ja esteu ben asseguts? Aleshores puc començar...

Us presento la resta de personatges d'aquesta his-
tòria...

La jove
lady Stella Saxby.

Aquest és en Sutge.
És un escura-xemeneies.

En Wagner és una gran òliba de les muntanyes bavareses.

En Gibbon és el majordom ancià de Saxby Hall.

El detectiu Strauss és un policia.

1

Glaçat

Ho veia tot borrós.

Al començament només hi havia colors.

Després ratlles.

A poc a poc, l'habitació va anar prenent forma a través de l'esguard emboirat de la Stella.

La nena es va adonar que estava estirada al seu propi llit. L'habitació tot just era una més de les moltes que hi havia en aquella mansió gegantina. A la part dreta del llit s'erigia el guarda-roba, a l'esquerra hi havia un petit tocador, emmarcat per una fi-

nestra alta. La Stella coneixia cada racó de la seva habitació. Sempre havia viscut a Saxby Hall. Però en aquell moment tenia una sensació estranya, singular.

A fora no se sentia res. La casa no havia estat mai tan silenciosa. Hi dominava una calma absoluta. Des del llit, la Stella va girar el cap per mirar per la finestra.

Tot era blanc. Havia nevat molt. La nevada havia cobert tot el que tenia a la vista, el llarg rectangle de gespa, el llac enorme i fondo, els camps deserts de més enllà de la finca. De les branques dels arbres penjaven uns caramells. Tot estava glaçat.

El sol no se'l veia enlloc. El cel estava pàl·lid com l'argila. Semblava que no fos ben bé de dia ni ben bé de nit. Era el principi del matí o el final de la nit? La nena no ho podia saber.

La Stella va tenir la sensació d'haver estat dormint eternament. Havien passat dies? Mesos? Anys? Tenia la boca seca com un desert. Sentia el cos pesant com una pedra. Immòbil com un estàtua.

Per un moment, la petita va pensar que potser encara dormia, que somniava. Que somniava que estava desperta a la seva habitació. No era la primera vegada que tenia aquell somni, i era espantós, perquè per molt que ho provés no es podia bellugar. Tornava a tenir el mateix malson? O era alguna cosa encara més sinistra?

Per fer la prova de si estava adormida o desperta, va intentar moure's. Mirant fixament l'extrem més allunyat del seu cos, primer va intentar bellugar el dit petit del peu. Si estava desperta i pensava a bellugar el dit del peu, es bellugaria. Però per molt que ho intentava, el dit no es bellugava ni poc ni molt. Ni un lleu tremolor. Un per un, va intentar bellugar tots els dits del peu esquerre, i després tots els dits del peu dret. Un per un tots es van negar en rodó a fer res. Cada cop més espantada, va mirar de moure els turmells, després va provar d'estirar les cames, va fer un intent d'arronsar els genolls i finalment es va concentrar tant com va poder a aixecar els braços. No hi havia manera. Era com si l'haguessin enterrat en la sorra de cintura cap avall.

Més enllà de la porta del dormitori, la Stella va sentir un soroll. La casa tenia segles d'antiguitat, pertanyia als Saxby des de feia moltes generacions. Era tan vella que tot grinyolava, i era tan gran que cada soroll ressonava pel laberint interminable de passadissos. De vegades, la jove Stella pensava que la casa estava encantada. Que un fantasma rondava de nits per Saxby Hall. Quan se n'anava al llit, estava convençuda que sentia alguna criatura o alguna cosa que es movia darrere la paret. De vegades fins i tot sentia una veu que la cridava. Aterrida, corria cap a l'habitació dels seus pares, s'enfilava al llit i s'hi esmunyia. Els pares abraçaven la Stella, li deien que no s'havia d'amoïnar. Que tots aquells sorolls tan estranys els feien les canonades i els taulons de fusta del terra, que grinyolaven.

La Stella no n'estava tan segura.

Va dirigir la mirada cap a l'enorme porta de roure del seu dormitori. A mitja altura hi havia el forat del pany, per bé que ella mai tancava la porta i ni tan sols sabia on era la clau. El més probable era que algun rererebesavi l'hagués perdut cent anys enrere. Un d'aquells lords o ladies tan seriosos de Saxby, els retrats dels quals penjaven a les parets dels passadissos, immortalitzats per sempre en olis.

El forat del pany feia pampallugues, pas-  sava de la llum a la foscor. A la nena li va semblar veure un ull que la mirava a través del forat, abans de desaparèixer ràpidament.

—Mama, ets tu? —va cridar. En sentir la seva pròpia veu, la Stella va tenir la seguretat que no es tractava de cap somni.

A l'altra banda de la porta va respondre un silenci inquietant.

La Stella es va armar de coratge per tornar a parlar.

—Qui és? —va suplicar—. Sisplau!

A fora, els taulons del terra van cruixir. Algú o alguna cosa l'havia estat espiant pel forat del pany.

El pom va girar i, lentament, la porta es va obrir. L'habitació estava a les fosques, però hi havia llum al passadís, de manera que el primer que la nena va veure va ser una silueta.

Era la figura d'una persona tan alta com ampla. Per bé que no era extremament ampla, ni tampoc especialment alta. La figura duia una jaqueta entallada i pantalons bombatxos (aquells pantalons ni curts ni llargs i ondulosos que de vegades porten els jugadors de golf). Un gorra per anar a caçar cérvols ornava la testa de la figura, amb les orelles abaixades d'una manera gens afavoridora. De la boca li penjava una pipa llarga i gruixuda. En un instant, el fumerol d'un tabac dolç i vomitiu va emboirar l'habitació. Duia una mà enfundada en un guant de cuir gruixut. Damunt del guant es retallava la silueta inconfusible d'un mussol.

La Stella va saber immediatament qui era.

Era la seva tieta terrible, la tieta Alberta.

—Per fi t'has despertat, criatura —va dir la tieta Alberta. La dona tenia una veu forta i profunda, com un pastís amarat de licor. Va avançar des del llindar de la porta i va entrar al dormitori de la seva neboda, amb les enormes botes marrons amb puntera d'acer ressonant contra els taulons de fusta.

Sota la llum tènue, la Stella en va poder distingir el teixit gruixut del vestit, i les ungles llargues i afilades del mussol aferrades als dits del guant. Era una gran òliba de les muntanyes bavareses, l'espècie de mussol més gran que existeix. Als pobles bavaresos,

aquells mussols eren coneguts com a «ossos voladors», per las mides sorprenents que tenien. El mussol es deia Wagner. Era un nom original per a un animal de companyia original, però és que la tieta Alberta era una persona profundament original.

—Quanta estona fa que dormo, tieta? —va preguntar la Stella.

La tieta Alberta va xuclar llargament la pipa i va somriure.

—Només han estat uns quants mesos, criatura.

2

Desapareix un nadó

Abans de continuar la nostra història, us he d'explicar algunes coses més sobre la tieta Alberta, i els motius pels quals era tan terrible.

Aquest és l'arbre genealògic de la família Saxby.

LORD CUTHBERT SAXBY
(1698-1755)

LADY JANE SAXBY
(DE SOLTERA WHITTINGDON)

LADY ROSAMUND SAXBY
(DE SOLTERA MOORE)

LORD HORTATIO SAXBY
(1742-1815)

HUMPHREY
(1742-1850)

HORACE
(1743-1801)

HONORA
(1748-1823)

LORD CEDRIC SAXBY
(1799-1862)

LADY GENEVIEVE SAXBY
(DE SOLTERA
CRUTTINGDOWN-SMYTHE)

LADY HENRIETT
(DE SOLTERA COR

LORD OSCAR S
(1842-1925

OSBER
(1844-191

OCTAV
(1845-18

ALBERTA
(1868-)

HERBERT
(1880-?)

ARBRE
GENEALÒGIC
DELS
SAXBY

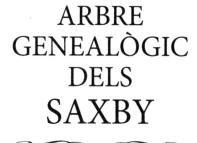

LORD CHESTER SAXBY
(1880-)

STELLA
(1920-)

LADY EMILY SAXBY
(DE SOLTERA SMYTHE)

Com heu pogut veure en l'arbre genealògic, Alberta era la més gran de tres germans. Va ser la primogènita de lord i lady Saxby, seguida pels bessons Herbert i Chester. Quan era un nadó, en Herbert (el bessó que havia nascut primer) va patir una desgràcia horrible. Com a primer fill baró, a en Herbert li corresponia heretar el títol de lord Saxby quan el seu pare morís. El títol comportava també el patrimoni: la casa familiar, Saxby Hall, i totes les joies i la plata que havien anat passant de generació en generació. La llei d'herències estipulava que al primer noi que nasqués en una família li pertocava tot.

Tanmateix, poc després de néixer en Herbert, va passar una cosa molt misteriosa. El nadó va desaparèixer en plena nit. La seva mare amatent l'havia posat a dormir al bressol, però quan va entrar a l'habitació dels nens l'endemà al matí, l'infant s'havia esvanit. Destrossada de dolor, va plorar tant que gairebé va ensorrar la casa.
—AAAAAAAAARR
RRRRRGGGGGGGG

GGGGGGGGHHHHHHHHH H!!!!!!!!!!!!!!

Persones de les ciutats i els pobles veïns van sortir com un torrent de les cases per ajudar en la recerca. De dia i de nit, durant setmanes, van pentinar les rodalies de la contrada per recuperar l'infant, però mai en van trobar cap rastre.

L'Alberta tenia dotze anys quan el seu germà va desaparèixer. I les coses, a casa, mai no van tornar a ser com abans. No era només que el petit Herbert hagués desaparegut, el més dolorós per als seus pares era el fet de desconèixer què li havia passat. És clar que encara els quedava en Chester (el pare de la Stella), però la pena d'haver perdut el seu preciós nadó no els va abandonar mai.

El cas es va convertir en un dels grans misteris sense resoldre de la seva era.

La desaparició del nadó va provocar un seguit de teories escabellades. La jove Alberta va jurar que aquella nit havia sentit udols al jardí. La nena estava convençuda que un llop s'havia endut el seu germanet en la negror de la nit. Però no es va trobar cap rastre de llops a un radi de cent cinquanta quilòmetres a la rodona de Saxby Hall. Aviat aquesta teoria va passar a ser una de tantes. Alguns creien que una companyia de circ que passava per allà havia segrestat en Herbert i l'havia disfressat de pallasso. Uns altres pensaven que l'infant s'havia enfilat a la barana del bressol i havia sortit gatejant per la finestra. Encara més improbable era la sospita que tenien alguns, segons la qual el nen havia estat abduït per un grup d'elfs entremaliats.

Cap d'aquestes especulacions desbordants d'imaginació van servir perquè en Herbert tornés a casa. La vida va continuar, però no per als pares d'en Herbert. La nit de la desaparició els va congelar en el temps. Ningú no els va tornar a veure mai més en cap acte públic. Eren incapaços de fer veure que eren feliços. El sentiment de pèrdua, el fet de no saber, resultava insuportable. Amb prou feines podien dormir o menjar. Vagaven com fantasmes per Saxby Hall. La gent va començar a dir que s'havien mort de pena.

3

Una nena bestial

Sense en Herbert, en Chester (el pare de la Stella) va passar a ser l'hereu. Quan era petit, l'Alberta el va tractar d'una manera absolutament bestial. Era capaç de:

• Regalar al seu germanet una taràntula altament verinosa per Nadal.

- Collir pedres i espolsar-hi su-
cre al damunt. Després
donar-ne una al seu ger-
mà petit fent veure que
eren carquinyolis.

- Penjar-lo amb
agulles al fil d'es-
tendre i deixar-lo
allà tota la tarda.

- Tallar un arbre mentre
ell s'hi enfilava.

- Jugar amb ell a fet i amagar. L'Alberta esperava que el nen s'amagués, i llavors marxava de vacances.

- Empènye'l dins el llac quan estava d'esquenes donant menjar als ànecs.

- Substituir les espelmes del seu pastís d'aniversari per cartutxos de dinamita.

- Agafar-lo pels turmells, fer-lo girar per l'aire tan fort com podia i aleshores deixar-lo anar.

- Tallar-li els cables dels frens de la bicicleta.

- Obligar-lo a menjar un bol de cucs vius dient-li que eren «espaguetis especials».

- Quan feien guerres de bo- les de neu, cobrir unes quantes pilotes de criquet amb neu i llançar-les-hi.

- Tancar-lo a l'armari, i després llançar l'armari escala avall.

- Posar-li una tisoreta a les orelles mentre dormia perquè es despertés xisclant.

- A la platja, enterrar-lo amb la sorra fins al coll, i deixar-lo allà fins que pujava la marea.

Malgrat tot, en Chester sempre va ser amable amb la seva germana. Quan lord i lady Saxby van morir i ell va passar a heretar Saxby Hall, va decidir cuidar la vella propietat tan bé com li fos possible. El nou lord Saxby s'estimava la casa tant com sempre ho havien fet els seus pares. Però com que en Chester era de natural tan generós, va regalar el riquíssim tresor de plata i joies a la seva germana Alberta. La suma total era de milers i milers de lliures. Tanmateix, en un lapse de temps molt breu, la dona ho havia perdut tot.

Perquè l'Alberta tenia una addicció perillosa.

El joc de la puça.

En aquella època era un joc molt popular. El joc de la puça es jugava amb un recipient i uns discos o «puces» de diferents mides.

JOC DE LA PUÇA

L'objectiu era fer servir la puça grossa, anomenada «disparador», per propulsar tantes puces petites dins del recipient com fos possible. De petits, l'Alberta obligava en Chester a jugar-hi. Per impedir que llancés el recipient contra la paret quan perdia, en Chester sempre la deixava guanyar. A més de tenir mal perdre, l'Alberta era una tramposa. De petita va crear els seus propis moviments del joc de la puça, tots completament contraris a les regles:

«Nyam-nyam»: menjar-se el disparador del contrincant.

«Ganaix-ganoix»: mossegar la mà del contrincant mentre intenta jugar.

«Esplendor interior»: amagar totes les puces del contrincant sota les calces.

«Bum-bum-xaca-laca»: disparar les puces dins del recipient amb una escopeta de balins.

«Puça infernal»: cremar totes les puces del contrincant.

«Cop de genoll»: fer trontollar la taula de jugar a la puça quan li toca jugar al contrincant, tot colpejant-la amb el genoll.

«Arrabassada»: quan la puça del contrincant es troba a mig vol i un ocell depredador perfectament ensinistrat l'empesca amb el bec.

«Puça enganxosa»: enganxar amb pega les puces del contrincant a la taula.

«Pot gegantí»: quan el contrincant no mira, canviar el recipient per un de molt més alt, perquè no hi encerti cap puça.

«Pet», llufar-se sobre el disparador del contrincant, deixant-lo inservible durant una estona.

Un any, per les festes de Nadal, en Chester va regalar a la seva germana *El llibre de les regles del joc de la puça*, del professor T. Puça. Tenia l'esperança que d'aquesta manera consultarien les regles plegats, i que ella deixaria de fer aquelles trampes terribles. Però l'Alberta ni tan sols va arribar a obrir el llibre. S'hi va negar en rodó. *El llibre de les regles del joc de la puça* va passar a acumular pols en un prestatge de l'enorme biblioteca de Saxby Hall.

De ben petita, l'Alberta ja era ridículament competitiva. Havia de guanyar sempre. Una vegada i una altra i una altra i una altra.

—Sóc la millor. **M, I, L, O, O, R!**
—entonava. Sempre havia estat atroç lletrejant. Però aquest desig agressiu de vèncer tothom va ser precisament el que va acabar costant caríssim als seus familiars. Tan aviat com va tenir a l'abast part de la fortuna dels Saxby, gràcies a la generositat d'en Chester, la va perdre en les apostes. L'Alberta es va fer as-

sídua de les taules de joc de la puça dels casinos de Montecarlo, on les apostes eren molt altes. En menys d'una setmana, la dona havia perdut tot el que tenia. Milers i milers de lliures. Tot seguit, es va colar al despatx del seu germà i li va pispar el talonari. Falsificant la signatura i sense que ningú no ho sabés, l'Alberta va treure tots els diners del compte bancari d'en Chester. Al cap de pocs dies havia perdut també els diners del seu germà. Fins al darrer penic. La família es va endeutar de tal manera que va ser del tot impossible recuperar-se.

D'aquesta manera, en Chester es va veure obligat a vendre totes les possessions que va poder. Antigui-

tats, quadres, abrics de pell, fins i tot l'anell de diamants de prometença de la seva adorada esposa, tot va anar a parar a les cases de subhastes per tal que lord Saxby pogués conservar el casal familiar. Un casal que pertanyia a la família Saxby des de feia segles. Com qualsevol casa de grans dimensions, Saxby Hall donava feina a un regiment de personal de servei que el mantenia en funcionament: una cuinera, un jardiner, una mainadera, un xofer i un exèrcit de donzelles. Però ara que l'Alberta havia malbaratat tots els diners, ja no podien pagar-ne els sous. El banc va exigir que fossin acomiadats immediatament. A contracor, en Chester va haver de prescindir de tots.

Excepte d'un. L'ancià majordom, en Gibbon.

Lord Saxby va provar de lliurar a en Gibbon l'avís de l'acomiadament una dotzena de vegades o més. Però el criat era tan vell —estava a punt d'arribar als cent—, que s'havia tornat molt sord i cec. Per això, va resultar impossible fer-lo fora. Encara que li cridessis a l'orella, el pobre vell no sentia res en absolut.

Feia generacions que en Gibbon treballava per als Saxby. Feia tant temps que estava al seu servei, que havia esdevingut un membre més de la família. En Chester s'havia criat sota la cura d'en Gibbon, i l'apreciava molt, com qui estima un oncle vell i excèntric. En el fons s'alegrava que en Gibbon s'hagués quedat a la casa, en part perquè estava segur que l'ancià majordom no tenia on anar.

De manera que en Gibbon va continuar passejant-se per Saxby Hall, duent a terme les seves tasques, per bé que d'una manera totalment extravagant. En Gibbon era capaç de:

- Aspirar la catifa amb el tallagespa.

- Portar una safata amb una pila de mitjons bruts i anunciar: «El te de la tarda, senyor».

- Planxar les plantes.

- Regar el sofà.

- Fer sonar un gong en plena nit i anunciar: «El sopar és a taula».

- Servir una bola de billar bullida per esmorzar.

• Encerar l'herba.

• Bullir les sabates.

• Agafar la pantalla de la làmpada i dir, «Saxby Hall, digui?», com si fos un telèfon.

• Treure la catifa a passejar.

• Rostir el pollastre al motor del Rolls Royce.

Els pares de la Stella treballaven de manera incansable, de dia i de nit, per atendre la casa i els terrenys, però Saxby Hall era massa gran per a ells. De manera inevitable, va caure en un estat ruïnós. Aviat van tenir una casa gegantina que no es podien permetre escalfar ni il·luminar, i un Rolls Royce vell que amb prou feines feien servir perquè no podien pagar la benzina. Gràcies al seu encant natural, en Chester, que ara s'havia convertit en lord Saxby, de moment havia aconseguit contenir les ires del director del banc, a Londres.

Quan la Stella va néixer, va decidir que la seva filla heretaria algun dia la gran casa, tal com ell ho havia fet del seu pare. Per descomptat, hauria estat un error confiar Saxby Hall a la seva germana Alberta, i per tant en Chester es va assegurar que els seus desitjos quedaven absolutament clars en el seu testament.

Testament de lord Saxby de Saxby Hall

Jo, Chester Mandrake Saxby, llego per la present la casa familiar, Saxby Hall, a la meva filla Stella Amber Saxby. Donat cas que la Stella morís abans d'hora, la casa serà posada a la venda i tots els diners seran donats als pobres. És el meu desig exprés que la meva germana, Alberta Hettie Dorothea Pansy Colin Saxby, no hereti la casa, perquè altrament la perdria apostant al joc de la puça. Per assegurar que això no succeeixi, les escriptures de propietat de Saxby Hall han estat amagades a la casa, en un indret on la meva germana Alberta no les trobarà mai.

Signat el primer dia de gener de 1921,

lord Chester Mandrake Saxby

Lord Saxby no va informar la seva germana de l'existència d'aquest testament. Si arribava a llegir-lo, era absolutament segur que s'enrabiaria de mala manera.

4

La gran òliba de les muntanyes bavareses

Imagino que us interessarà saber com va ser que la tieta Alberta arribés a tenir una gran òliba de les muntanyes bavareses com a animal de companyia. Per respondre, hauré de fer-vos retrocedir en el temps una vegada més, fins a una època anterior al naixement de la petita Stella.

Poc després que l'Alberta hagués perdut tots els diners de la família jugant a les taules de joc de la puça de Montecarlo, Europa va entrar en guerra. En Chester es va allistar a l'exèrcit com a oficial i va ser recompensat amb un munt de medalles pel seu coratge als camps de batalla francesos. Mentrestant, la seva germana també es va allistar, i es va trobar lluitant als boscos de Baviera com a metrallera. De manera poc habitual per ser una ciutadana britànica, va escollir lluitar a favor del bàndol alemany. L'única raó que va esgrimir l'Alberta va ser que «li agradaven més els uniformes alemanys». Trobava que estava guapíssima amb un d'aquells cascos alemanys acabats en punxa, que s'anomenaven *Pickelhauben*. Podeu jutjar-ho vosaltres mateixos...

Una cosa que sovint havia fet quan era una nena era robar ous d'ocells rars. L'Alberta sabia que la gran òliba de les muntanyes bavareses era un dels ocells més rars del món. Per això, quan en va localitzar una fent-se el niu en el bosc on estava apostada, es va enfilar a l'arbre i va robar l'ou que hi havia al niu.

Aleshores hi va seure al damunt per covar-lo, i va batejar la cria de mussol amb el nom de Wagner, en homenatge al seu compositor alemany favorit.*

La guerra es va acabar poc després. L'Alberta havia lluitat a favor del bàndol perdedor, i la perspectiva que l'enviessin a un camp de presoners no la seduïa. Per això va robar un zepelí, un d'aquells enormes artefactes aeris de l'exèrcit alemany. Amb el petit mussol Wagner ben subjectat sota al braç, es va enlairar. Al principi tot va anar bé, va pilotar el zepelí durant centenars de quilòmetres i va sobrevolar el continent europeu. Però quan va arribar al canal de la Mànega i va tenir a la vista els penya-segats blancs de Dover, es va produir el desastre. Amb la punxa metàl·lica del

* El compositor es deia «Wagner». Enhorabona, seguiu així.

casc va foradar l'enorme cèl·lula de gas que tenia al damunt. A l'instant, l'aire calent va començar a brollar violentament de l'artefacte. Al capdavall, el zepelí no era més que un globus gegantí. Va començar a petarrellejar pel cel a una velocitat diabòlica, abans d'estavellar-se contra el mar amb un sonor

PLOP.

L'Alberta va aconseguir nedar fins a la costa, amb la cria de mussol (que ja era més gran que un mussol normal, tot s'ha de dir) posada precàriament sobre el seu cap.

Un cop va haver tornat sense més incidències a Saxby Hall, es va disposar a ensinistrar l'ocell. En Wagner no havia arribat a conèixer els pares mussol, però va acceptar ràpidament l'Alberta com a mare. De fet, la dona alimentava la cria de mussol amb cucs i aranyes vives passant-los de la seva pròpia boca al bec de l'ocell. A mesura que en Wagner anava creixent, també ho feien els premis. No va trigar gaire a donar-li els ratolins i els pardals que havia caçat amb les seves trampes. Feia servir el menjar com a recompensa, i amb el temps l'Alberta va arribar a ensenyar al seu mussol una sèrie de coses impressionants:

- Portar-li les sabatilles.

- Doble tombarella enrere.

- Reconeixement aeri (un terme militar de la Primera Guerra Mundial que significava espiar el terreny des de l'aire).

- Llançar-se en picat contra els estels dels nens.

- Robar la roba interior estesa de les velles.

- Llançar bombes fètides des de l'aire durant la festa major del poble.

- Entregar una carta o un paquet a un radi de cent cinquanta quilòmetres.

- Cantar àries de les òperes favorites de l'Alberta a duet amb ella. Això era patètic de sentir perquè la tieta cantava pitjor que el mussol, que ja costa.

- Fer servir un orinal especial per a òlibes quan feia pipí d'òliba.

- Atacar gatets i devorar-los d'una sola engolida, amb ossos i tot.

- Fer un pastís de poma.

LA GRAN ÒLIBA DE LES MUNTANYES BAVARESES

ULLS GROCS

BLENS ATAPEÏTS A LES ORELLES

PLOMES MARRONS I GRISES

CAP GROS

BEC AFILAT COM UNA NAVALLA

PIT IMPRESSIONANT

URPES PUNXEGUDES

1,2 METRES D'ALÇADA APROXIMADA

40 QUILOS DE PES

D'aquesta manera, l'Alberta es va convertir en una experta en «mussolisme», «mussolesa», «mussolitat», «mussolestria», «mussolgrafia», «mussolosofia», o com en vulgueu dir.*

Aviat, ella i el seu estimat Wagner es van fer famosos en els cercles mussolistes. Fins i tot van començar a protagonitzar sessions de fotos per a publicacions especialitzades en aus depredadores, com *El meu mussol, Només mussols, Mussol!, Mussols mussols mussols, Mussols i res més, Mussols madurs* i *El mensual del mussol: la revista per a mussols i els seus admiradors.* Un cop fins i tot van

aparèixer junts a la portada de *Cu-cú!*, l'equivalent a la revista *Hola!* en el món dels mussols. La secció «A casa amb...» incloïa dotze pàgines de fotografies i una extensa entrevista on tots dos parlaven de com s'havien conegut i de quines eren les seves expectati-

* O «mussolènia», per fer servir la terminologia correcta (o «mussologia»).

ves i il·lusions com a parella. Per descomptat, les respostes d'en Wagner van ser totes en gralls.

L'Alberta i en Wagner. En Wagner i l'Alberta. Una parella molt ben avinguda.

La parella viatjava junta a tot arreu en la motocicleta de l'Alberta, amb en Wagner al sidecar. Tots dos tenien cascs i ulleres a joc.

El que ja no semblava tan habitual era que l'Alberta i en Wagner també compartissin el llit. Quan la Stella duia a la seva tieta la copeta de xerès de cada nit, trobava l'Alberta i en Wagner ficats al llit amb pijames de ratlles a joc, llegint els diaris del dia. Era una escena ben estrambòtica. En una altra ocasió, la Stella va sentir-los xipollejant junts a la banyera. No era normal, no estava bé, i de ben segur que no devia ser gens higiènic. Sobretot per al mussol.

Però aquesta intimitat entre la dona i la bèstia no era casual. Durant tot aquell temps, la tieta Alberta havia ensinistrat l'òliba perquè obeís totes les seves ordres. Fins i tot quan es tractava de provocar un mal indescriptible.

5

Momificada

Ara que ja sabem tot el que cal saber sobre l'Alberta i la seva gran òliba de les muntanyes bavareses, podem tornar a la nostra història.

A l'habitació de la Stella, al pis superior de Saxby Hall, la nena jeia estirada al seu llit. Una ombra fosca li cobria amenaçadorament la figura. L'ombra pertanyia a la tieta Alberta, amb el mussol Wagner posat damunt la seva mà.

A la Stella se li va trencar la veu quan va preguntar a la seva tieta:

—No ho entenc. Com puc haver estat mesos adormida?

L'Alberta va pensar un moment, va treure un ratolí viu de la butxaca agafant-lo per la cua i el va deixar caure dins la boca d'en Wagner. L'ocell es va empassar la infortunada criatura tota sencera.

—D'ençà del dia de l'accident... —va respondre la dona.

—Accident?! Quin accident? —va demanar la Stella.

La tieta Alberta es va atansar al llit de la nena, i va posar la mà sobre la manta.

—L'accident que et va provocar això...

Amb un gest teatral, la dona va enretirar la manta del llit. Horroritzada, la Stella va descobrir que tenia tot el cos embenat. Semblava una faraona de l'antic Egipte, momificada dins d'una piràmide.

—Se't van trencar tots els ossos del cos.

—Noooooo...! —va cridar la nena.

—Síííííí...! —va respondre l'Alberta, burlant-se del to de la seva neboda—. Cada osset es va esmicolar en centenars de trossos. Et van haver de recollir com si fossis un tros de gelatina, pengimpenjam!

—Però com...? Què... què... què va passar? I on són la meva mare i el meu pare? —va suplicar la Stella. La nena volia fer tantes preguntes que les paraules ensopegaven l'una amb l'altra.

La tieta Alberta es va limitar a somriure satisfeta. Va fer una pipada de la pipa i va tirar el fum a la cara de la seva neboda.

—Oh! Quantes preguntes! Cada cosa té el seu moment, criatura.

—Però necessito saber-ho! —va exigir la Stella—. Ara mateix!

L'Alberta va fer una rialleta.

—No et ve gust fer una partida del joc de la puça, primer?

La nena no podia creure el que estava sentint.

—Es pot saber què t'empatolles?

La dona va treure una capsa del prestatge de la nena i la va col·locar damunt del llit.

—Aquest no és el moment! —va dir la Stella.

—Sempre és un bon moment per jugar a la puça! —va respondre l'Alberta, tot afanyant-se a col·locar les peces del joc—. Començo jo —va dir tota engrescada, mentre feia palanca amb el disparador per fer que una de les peces sortís volant. Va aterrar dins del recipient amb un ping.

PING!

—Un milió i set punts per a mi. Et toca!

La Stella va mirar fixament la seva tieta, amb els ulls inflats de fúria.

—Ai, quin cap que tinc! Me n'oblidava. Tens els dos braços trencats! Sembla que he tornat a guanyar.

—Jo no he dit pas que volgués jugar.

—S'ha de saber perdre, Stella.

—Necessito saber què els ha passat als meus pares! —va cridar la nena.

L'Alberta va sacsejar el cap per recriminar el comportament de la seva neboda.

—Si et pots estar callada un moment, la teva tieteta estimada t'explicarà exactament el que va passar! —Sovint parlava amb una veueta infantil que feia eriçar la pell de la Stella—. No tens cap record de l'accident?

—N... no —Per molt que ho intentés, la Stella no recordava res. Es devia haver donat un cop molt fort al cap. Però, com havia anat? —. Sisplau! Explica-m'ho!

—Pobreta. Pobreta, pobreta. Pobra, pobra de mi.

—Què? Explica-m'ho! T'ho suplico!

—Calla! Immediatament —va ordenar la dona.

La nena no va tenir altra opció que callar.

—Ara la tieta podrà començar. —Semblava que li anés a explicar un conte per anar a dormir—. Era un matí plujós. Tu seies al seient del darrere del Rolls Royce del teu pare, de camí cap a Londres. El teu pare tenia una altra reunió amb el director del banc, i la teva mare havia de portar-te a visitar el palau de Buckingham. Però, ai las! La vostra alegre excursió estava destinada a no arribar a la fi.

—Per què? Què va passar?

—Potser el teu pare havia begut...

—No bevia mai! —va protestar la Stella.

—...i devia conduir massa de pressa...

—No conduïa mai massa de pressa!

Però l'Alberta estava embalada i no hi havia manera d'aturar-la.

—El Rolls Royce anava a tota velocitat resseguint la carretera de la costa. El teu pare va perdre el control del cotxe en un revolt pronunciat i...

Va fer una pausa per aconseguir un efecte dramàtic. Semblava que gaudís del seu paper de portadora de males notícies.

—Què?!

—Es va precipitar pel penya-segat!

—NO! —va cridar la Stella.

—Sí! I es va estimbar contra les roques —va dir l'Alberta, tot afegint un efecte de so que ningú no li havia demanat

BOOM!

La Stella es va posar a plorar.

—Vinga, vinga! —va dir l'Alberta, fent uns copets al cap de la seva neboda, com si fos un gosset—. Escolta, nena, tens molta sort d'estar viva. Molta sort. Has estat mesos en coma.

—I els meus pares? —va suplicar. La Stella es temia el pitjor, però encara no havia perdut del tot l'esperança—. On són? Són a casa? O a l'hospital?

L'Alberta va mirar fixament la seva neboda. Una expressió de dolor li va travessar el rostre.

—Oh, pobra, pobra criatura.

La tieta Alberta va moure el cap a banda i banda i va recolzar el cos corpulent sobre la part lateral del llit, fent que el matalàs s'inclinés violentament. Va avançar a poc a poc els dits rodanxons cap a la seva neboda, i va reposar el palmell robust sobre la part superior de la mà fortament embenada de la nena. Els ulls de la Stella s'havien omplert de llàgrimes. Unes llàgrimes que no van trigar a baixar-li per les galtes com si fossin rivets.

—Sisplau, digue'm què els ha passat, als meus pares!

L'indici d'un somriure es va dibuixar al rostre de la tieta.

—Doncs, ves per on, tinc notícies força decebedores sobre els teus pares...

6

Un malson horrible

—Morts? —La Stella estava amarada de llàgrimes—. Sisplau, sisplau, digue'm que no és veritat. Digue'm que tot plegat no és més que un malson horrible!

La tieta Alberta va mirar la seva neboda amb compassió. Va fer una pipada llarga i profunda, mentre meditava una resposta.

—Són morts, nena. Tant morts com ho poden estar els morts. Més morts que morts. Completament morts. De fet, estan tan rematadament morts que van ser enterrats sota terra ja fa uns quants mesos. No crec que hi hagi massa esperança.

Un seguit de records de la seva mare i el seu pare estimats van envair la ment de la Stella. El seu pare portant-la a passejar pel llac en barca i fent-la riure mentre feia el pallasso amb els rems. La seva mare fent-la girar per la sala de ball de Saxby Hall, el dia que li va ensenyar a ballar. Uns records que ja semblaven pel·lícules antigues i borroses en blanc i negre, amb la imatge ratllada i el so esmorteït. Va fer un esforç per aclarir-les. Ara mateix eren l'única cosa que li quedava d'ells.

—Ja fa mesos? —va barbotejar la Stella—. Aleshores, no vaig poder assistir al funeral?

—En efecte, nena. Va ser un dia terriblement trist. Veure els dos taüts barats col·locats costat per costat... Per sort, el vicari em va fer descompte pel servei funerari, atès que eren dues persones que s'enterraven d'una tacada.

—Vas posar-hi flors de part meva?

—No. Per ser-te sincera, en aquell punt ja eren tan morts que no se n'haurien adonat.

La nena no podia creure el que estava sentint. Com era possible que la seva tieta sentís tan poc respecte pel seu germà i la seva esposa, la mare i el pare estimats de la Stella? La rancúnia que acumulava envers lord i lady Saxby no era cap secret, malgrat l'amabilitat i l'afecte amb els quals sempre l'havien tractat. L'Alberta tenia fins i tot una ala de Saxby Hall per a ella sola. Sense en Chester, la dona no hauria tingut un lloc on caure morta, perquè havia malbaratat tots els seus diners i la major part dels del seu germà. I tanmateix, mai no havia donat les gràcies ni havia tingut un gest amable amb ells.

Fins i tot quan era molt petita, la Stella s'havia adonat de la manera cruel amb què la seva tieta es comportava quan estava amb en Chester. L'Alberta posa-

va els ulls en blanc cada cop que ell parlava i feia una ganyota cada vegada que ell li oferia un somriure. Si era l'aniversari d'algú de la família, l'Alberta s'escapolia cap al seu hivernacle, al final del terreny en pendent. De manera certament original, la dona havia pintat de negre les finestres. La Stella estava convençuda que allò descartava la idea que efectivament es tractés d'un hivernacle, perquè els rajos del sol no podien entrar-hi. Qui havia sentit parlar de plantes que poguessin créixer en la foscor? En qualsevol cas, era segur que allò que l'Alberta amagava allà dins quedava totalment fora de l'abast de les mirades indiscretes de la gent.

—Aleshores, he estat en coma durant tot aquest

temps? —va preguntar la Stella, que s'havia calmat una mica i gemegava de manera més continguda.

—Sí. Ja fa mesos. Et vas colpejar el cap en l'accident de cotxe, i et van portar en ambulància a l'hospital. Els metges i les infermeres van fer tot el que van poder per tu. És clar que jo els trucava per telèfon a cada hora, interessant-me per la salut de la meva única neboda. Em preocupava que el teu estat pogués empitjorar.

—Però, si tinc tots els ossos trencats, com és que no sóc allà, encara? —va voler saber la nena.

La dona va fer una altra pipada, prenent-se una mica de temps per pensar.

—Doncs perquè, nebodeta meva, qui et podria cuidar millor que jo? Els hospitals són plens de persones pàl·lides i maltones. És molt millor que siguis a casa, descansant en el teu propi llit, sota la mirada vigilant d'en Wagner i la meva. Oi que tinc raó, Wagner?

La dona va besar el bec del mussol, com feia tot sovint. A la Stella sempre li havia resultat incòmode de veure, i es va estremir. Tant com es pot estremir algú que està embenat de cap a peus.

—En Wagner t'ha cuidat molt bé aquests darrers mesos. Com si fossis el seu mussolet, ha, ha!

—Què vols dir? —va preguntar la Stella.

—Bé, com que estaves en coma, era difícil alimentar-te. I jo necessitava, vull dir que volia mantenir-te amb vida. De manera que posava un llimac o un escarabat ben sucosos a la boca d'en Wagner, ell mastegava una miqueta, i després ho escopia en la teva boca mentre dormies.

La cara de la nena es va posar de color verd.

—Quin fàstic!

—Has vist com m'ho agraeix, Wagner? —va dir la tieta Alberta—. Mocosa consentida. Bé, ara hem de marxar.

Dit això, l'Alberta es va aixecar, i tot el llit es va redreçar i es va posar a lloc.

—On vas? —va exigir la Stella.

—Mira, no he parat quieta d'ençà de la tràgica mort dels teus pares! Ha estat un no parar! Hi ha tantes coses a fer! Vendre la roba de la teva mare, cremar les cartes i els diaris del teu pare.

—Però jo ho hauria volgut conservar tot!

—Haver-ho dit!

—**Estava en coma!** —va protestar la Stella.

—Això no és excusa. Ah, i t'he de preguntar una cosa.

—Què?

De sobte, la tieta Alberta va abaixar el to. Parlava com si volgués escollir les paraules amb molt de compte.

—Mira, nena, he estat buscant i rebuscant les escriptures de Saxby Hall.

—Per què?

—Perquè una nena petita com tu no pot ocupar-se d'aquest casalot ruïnós. Quants anys tens?

—Gairebé tretze! —va contestar la Stella.

—Aleshores en tens dotze?

—Sí —va reconèixer la nena.

—Bé, aleshores digues dotze. Ets una criatura. No creus que és molt millor que la teva tieteta preferida tingui cura de Saxby Hall?

La nena va callar. El seu pare sempre li havia dit que algun dia heretaria Saxby Hall, i la Stella havia promès ocupar-se'n durant la generació següent de Saxby. És clar que ara no podia ocupar-se tota sola de la finca, però no volia que l'Alberta ho fes per ella. La Stella no es refiava gens d'aquella dona.

—Però...! —va protestar.

—No hi ha però! Fes el favor de no capficar-te amb aquesta història. Són coses avorrides de la gent gran! Quan hagi acabat de posar la casa potes enlaire i hagi trobat les escriptures de Saxby Hall, l'únic que hauràs de fer serà signar el traspàs de poders, i la casa serà meva. Vull dir que serà meva per ajudar-te a cuidar-la. Aleshores, la pregunteta que t'he de fer és...

—Endavant.

La dona va fingir un somriure, i va semblar que s'hagués posat una màscara.

—Bé, em preguntava si sabies on són aquestes escripturetes.

La Stella va dubtar un instant. La seva mare i el seu pare sempre li havien dit que no havia de dir mentides. Però en el seu interior, alguna cosa li deia que ara mateix era necessari dir-ne una.

—No.

La veu de la nena va pujar mig to. La tieta Alberta no va quedar gaire convençuda.

—N'estàs segura?

La dona va acostar la cara a la de la neboda. La va acostar tant que la Stella va haver d'intentar no respirar, de tan pudents que eren els vapors de xerès i de tabac de pipa de l'alè de la seva tieta.

—Sí —va respondre la nena. La Stella va fer el possible per no parpellejar, per si de cas allò la delatava. En qualsevol cas, estava tan poc avesada a mentir, que la boca se li va posar tan seca com la sorra calenta, i es va veure obligada a empassar-se la saliva.

GULP.

—Si descobreixo que estàs mentint, senyoreta, tindràs problemes. Et ben asseguro que tindràs problemes. **P-U-B-L-E-M-E-S.** Problemes.

Certament, lletrejar no era el punt fort de la tieta Alberta.

—Si necessites alguna cosa, reina, qualsevol cosa, toca aquesta campaneta.

De la butxaca apedaçada de la jaqueta de xeviot, en va treure una campaneta d'or. Era una estatueta d'un mussol en miniatura. La dona va fer un copet a la part superior, i va sonar un DRING gairebé inaudible.

—En Wagner o jo mateixa acudirem tan aviat com puguem.

—No penso seguir menjant els bitxos mastegats que em doni aquest ocellot horrible! —va cridar la Stella.

El soroll va alarmar en Wagner, que va batre les ales tot grallant i botant amunt i avall sobre la mà de la seva mestressa. Les ales de l'enorme criatura eren tan llargues que mentre aletejava i grallava va tocar una foto emmarcada que penjava a la paret. La foto va caure a terra i el vidre es va esmicolar. Era una imat-  ge del casament dels pares de la Ste- lla. Era la fotografia predilecta de la nena. Sortien junts de l'església del poble, la mateixa on ara els havien enterrat. A la foto es veien molt joves i enamorats, amb la seva mare dolorosament bella amb el vestit blanc de núvia, i el seu pare atractiu i jovenívol amb el barret de copa de seda negra i brillant i el vestit de diumenge.

La tieta Alberta es va ajupir per recollir la foto- grafia.

—Tururut! —es va burlar—. Mira què has fet, nena egoista! Donar aquest ensurt al pobre Wagner.

—La dona va treure la foto del marc, i amb una mà en va fer una pilota—. Llançaré això a la llar de foc!

—No! —va cridar la Stella—. No, sisplau!

—No és cap molèstia —va respondre la seva tie- ta—. Com he dit abans del teu rampell, si necessites alguna cosa, qualsevol cosa, fes sonar la campaneta.

—Però com l'he de fer sonar? No puc moure els braços! —va protestar la Stella.

La dona es va inclinar sobre el llit de la nena.

—Obre bé la boca! —va ordenar, com si fos una dentista dimoni. Sense pensar-ho, la nena va fer el que li deien, i la tieta Alberta va col·locar la campana a la boca de la seva neboda.

La dona va riure davant d'aquella estampa tan estranya, i el mussol va grallar amb ganes, com si també rigués. La parella espantosa es va encaminar ben alegrement cap a la porta de l'habitació i en va sortir tancant-la darrere seu d'una revolada.

BANG!

La Stella va sentir que feien passar la clau.

CLIC.

No tenia escapatòria.

7

L'eruga humana

Però la Stella havia d'intentar fugir. Per molt que l'enorme mansió fos casa seva no hi volia passar més estona amb aquella dona esgarrifosa. De petita, sempre havia tingut por de la tieta Alberta. De vegades, quan la dona li explicava un conte per anar a dormir, sempre hi afegia alguna variació, i a les versions de l'Alberta el mal sempre triomfava.

Hansel i Gretel
No és la bruixa qui acaba ficada al forn al final del conte, sinó els dos nens. La bruixa viu feliç per sempre més a la seva casa de llamina-dures.

Els tres porquets

El llop ferotge bufa i rebufa i ensorra les tres cases dels tres porquets. Després menja rostit de porc per esmorzar, dinar i sopar cada dia de la setmana.

Rínxols d'Or i els tres ossets

Quan Rínxols d'Or es menja les farinetes dels ossos, ells se'n revengen i se la mengen.

Blancaneu

Quan Blancaneu troba la caseta dels set nans, la tanquen a dins i l'obliguen a cuinar i a netejar. Així Blancaneu passa tota la vida rentant cada dia a mà set parells de calçotets de nan.

La bella dorment

No es desperta mai. Només té espasmes violents en el son. L'Alberta s'ho passava especialment bé afegint efectes de so a aquest conte, i fins i tot en feia alguns amb una trompeta.

Jack i la mongetera màgica

En Jack puja per la tija, rellisca i cau a terra, i en aterrar damunt la seva mare fa un PLOF! gegantí.

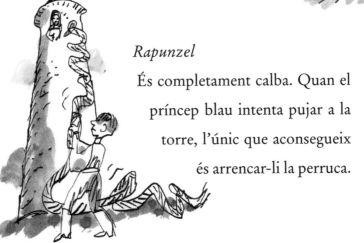

Rapunzel

És completament calba. Quan el príncep blau intenta pujar a la torre, l'únic que aconsegueix és arrencar-li la perruca.

La princesa i la granota

La princesa fa un petó a la gra-
nota i contrau una malaltia
transmesa per l'aigua que li fa
treure foc pel cul.

Les tres cabretes

El trol que viu sota el pont es crus-
peix totes les cabretes, després es
menja el pont, i després fa un
ROT gegant. En aquest conte,
l'Alberta també gaudia posant-hi els efectes de so.

La sireneta
S'ofega. Fi.

Aquests variacions retorçades descrivien molt bé
fins a quin punt l'Alberta era una persona retorçada.
La Stella no tenia escapatòria.

La nena va esperar a sentir les passes de la seva tie-
ta passadís enllà. La campana que la dona li havia fi-

cat a la boca tenia un regust amarg de rovellat, i la va escopir empenyent-la amb la llengua. Li va rodolar pel cos i va anar a parar damunt la panxa. La Stella es va contemplar a si mateixa. Per sota del coll, tot el seu cos estava fortament embolicat en el que semblaven quilòmetres i quilòmetres de bena. La tieta Alberta li havia dit que tenia tots els ossos trencats. Però, realment era veritat? El més probable era que les benes només fossin una manera de mantenir-la captiva. La nena va alçar el cap. Podia bellugar el coll perfectament. Alguna cosa li deia que si aconseguia deslliurar-se de l'embenat, podria córrer i fugir d'allà.

Saxby Hall quedava a uns quants quilòmetres del poble més proper, situat més enllà d'una enorme extensió de terra erma. Travessar-la de nit era massa perillós, però de dia, si corria molt de pressa, potser podria arribar a la granja més propera en un parell d'hores. Aleshores la Stella trucaria a la porta i demanaria auxili. La nena necessitava conèixer urgentment la veritat sobre la mort dels seus pares.

Però abans de poder escapar de la casa, la Stella havia de desempallegar-se de l'embenat.

La nena va començar a brandar el cos a banda i banda. Va somriure esperançada en veure que es podia bellugar una miqueta.

A l'esquerra.

A la dreta.

A l'esquerra.

A la dreta.

Com si fos un gronxador, cada vegada anava una mica més lluny.

A l'esquerra.

A la dreta.

La campana va rodar per damunt del seu estómac i va caure al terra de fusta.

PAF.

DinG!

Encara li quedava molt. Però la nena va continuar bellugant el cos de banda a banda.

A l'esquerra.   A la dreta.

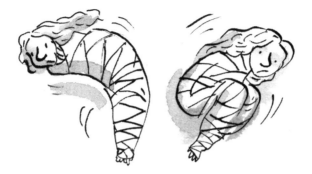

Estava agafant impuls.

A l'esquerra.   A la dreta.

A l'esquerra.

Per un instant, va quedar equilibrada de costat. De sobte va tenir la sensació que no pesava gens. Llavors, sense poder-ho evitar, es va trobar a terra, de cara als taulons de fusta. PAF.

—Aiii! —va cridar, i immediatament es va penedir d'haver fet soroll.

Les benes s'havien deixat anar una mica, i la Stella va comprovar que podia moure les cames i els braços. «Això vol dir que no estan trencats!», va deduir. Va avançar per terra amb la gràcia i la velocitat d'una eruga. Al cap d'un minut, es va adonar que amb prou feines s'havia mogut uns centímetres. Era patètic. Va romandre ajaguda a terra, totalment esgotada i decebuda. A aquest ritme trigaria un mes a arribar a la porta de l'habitació, i un any a arrossegar-se fins al peu de les escales.

La Stella sabia que no arribaria enlloc si no es desempallegava de l'embenat. Com ho faria, però? No podia bellugar les mans ni els peus. Aleshores va tenir una idea.

Hauria de sortir a mossegades.

La Stella va abaixar la barbeta tant com va poder. A continuació va treure la llengua, i va intentar enganxar un tros de bena amb la punta. Era molt més difícil del que semblava, com quan intentes pescar un ànec de goma amb una canya, a la fira. Després de provar-ho i tornar-ho a provar, per fi va aconseguir pescar amb les dents la punta de la bena.

Amb un moviment violent del cap, va fer una estrebada. Sacsejant el cap de banda a banda la va destensar. Quan va haver aconseguit desfer un tros de bena prou llarg, el va aferrar ben fort entre les dents. Semblava un gos jugant amb un pal i que es negués a deixar-lo anar.

La Stella va tornar a arrossegar-se cap al llit. Esgotada però decidida, va enganxar el tros de bena que estava solt en una de les molles punxegudes que hi havia sota el matalàs. Després va girar sobre si mateixa. I ho va tornar a fer. Com més girava, més tros de bena es desenredava.

Visca! Funcionava!

Amb cada volta, notava que podia moure el cos més i més. Aviat va poder bellugar una mica els braços, i després les cames.

L'eruga humana es convertia en una papallona.

L'excitació d'anar-se alliberant lentament li va omplir tot el cos d'una mena d'energia elèctrica. Va començar a giravoltar cada cop més de pressa, i a bellugar frenèticament braços i cames. Tan aviat com va alliberar el braç esquerre, va agafar amb la mà l'extrem de la bena.

Ara s'estava desenrotllant a gran velocitat.

Tot seguit va alliberar el braç dret. Llavors va poder empènyer la bena cap a baix i en va treure les cames.

Per un instant es va quedar ajaguda, d'esquenes, sobre el terra del dormitori. La batalla èpica s'havia

acabat. L'embenat estava al seu costat, tot recargolat, com una serp que hagués matat amb les pròpies mans.

L'habitació de la Stella es trobava al tercer pis. Vestida amb la camisa de dormir, va gatejar fins a la finestra. Quan va contemplar la distància que la separava de la gespa coberta de neu, es va adonar que era massa alta per poder saltar.

Una figura blanca i enorme s'alçava al final de la rampa del jardí. Semblava un ninot de neu, però era gairebé tan alt com la casa. Hi havia una escala recolzada. Què era? La Stella es va quedar de pedra, però s'estava fent de nit. I no hi havia temps a perdre.

Però hi havia un problema.

L'única manera de sortir de l'habitació era per la porta, i la porta estava tancada.

Només hi havia una clau.

A l'altra banda de la porta.

8

La gran fugida

La Stella tenia un pla. Corrent cap al seu escriptori, va agafar un llapis i un tros de paper. Hi havia una petita escletxa a la part inferior de la pesada porta de fusta. Hi va fer passar el tros de paper. Tot seguit, fent servir la part afilada del llapis, va empènyer suaument la clau que estava posada a l'altra banda del pany. Si l'empenyia massa fort, no encertaria el paper, i aterraria amb un CLANC sobre el terra de fusta. Sens dubte, allò alertaria l'Alberta.

Calia fer-ho molt lentament.

A poc a poc, la clau va caure del forat.

C
L
O
N
C.

La Stella havia encertat el tros de paper.

A continuació va estirar el paper per sota de la porta. Se li va il·luminar la cara quan va veure passar la clau a través de l'escletxa. La va subjectar contra el pit com si fos l'objecte més preciós del món. Li tremolaven les mans de l'emoció. Va tornar a posar la clau al pany, i com una criminal experta que força una caixa forta, va fer girar la clau amb molta suavitat.

CLIC.

La porta ja era oberta.

Va fer girar el gran pom de metall i la va obrir. Al principi només una escletxa. Va espiar per l'obertura, vigilant que no hi hagués ningú. El passadís llarg i desert s'estenia davant seu.

La Stella encara anava descalça i en camisa de dormir. No tenia temps per vestir-se apropiadament. L'Alberta podia tornar en qualsevol moment per veure com estava. Havia de fugir aleshores, mentre pogués.

Com que havia viscut tota la vida a Saxby Hall, la Stella coneixia la casa de dalt a baix i sense gaire esforç hauria pogut diferenciar cada tauló de fusta que grinyolava. Va avançar de puntetes pel passadís, esquivant hàbilment qualsevol possible xerric. Amb aquella manera de fer tan secreta se sentia com una lladre en la seva pròpia casa.

Per fi, va arribar al replà i va espiar a través de les balustrades de dalt de l'escala. Des d'aquell punt podia veure la gran porta principal de roure de Saxby Hall.

En qüestió de grinyols i xerrics, l'escala encara era més traïdora que el passadís. La nena va baixar el primer tram amb una precaució extrema.

A mig camí, va sentir un soroll darrere seu.

CLOMP CLOMP CLOMP.

Passes.

CLOMP CLOMP CLOMP.

Algú avançava pel passadís.

CLOMP CLOMP CLOMP.

La Stella va mirar enrere.

CLOMP CLOMP CLOMP.

Per sort, era en Gibbon, el majordom.

Va sospirar alleujada. Tot i que hauria volgut suplicar-li que l'ajudés a escapar, no hauria servit de res. El fidel servent era tan tan vell que s'havia tornat gairebé sord i cec del tot. Per molt que t'hi esforcessis, era impossible fer-li entendre res. Vivia en el seu propi món.

En Gibbon duia la vella levita negra gastada i plena de pols, els guants blancs de servir foradats i unes sabates on la sola s'obria i es tancava cada vegada que feia un pas.

Tot i així, el majordom caminava orgullós i a bon pas pel passadís, amb la safata de plata a les mans. A la safata duia un test amb una planta petita.

—L'esmorzar, duquessa —va anunciar, tot obrint la porta d'un armari i ficant-se a dins.

La Stella va remenar el cap. El pobre majordom no n'encertava ni una.

Tan de pressa i silenciosament com va poder, la nena va seguir baixant l'escala.

ESQUIIIIIIIIIK.

NO! Havia oblidat l'esglaó més sorollós, el darrer abans d'arribar al vestíbul. Haver arribat fins allà i que l'enxampessin ara podia ser un desastre.

A l'extrem més llunyà del passadís, la Stella va sentir fressa a l'estudi del seu pare. Era un soroll que recordava un saqueig: llibres i caixes picant contra el terra, i piles de papers volant. L'Alberta parlava sola. Tota enrabiada, es queixava:

—On has amagat les maleïdes escriptures?

La Stella va suposar que la seva tieta no l'havia sentit, i va començar a travessar el vestíbul de puntetes, en direcció a la porta principal.

RiNG RiNG RiNG RiNG.

El soroll va clavar un bon ensurt a la nena.

RiNG RiNG RiNG RiNG.

Es va aturar en sec.

RiNG RiNG RiNG RiNG.

Però només era el telèfon, que sonava al despatx del seu pare.

RiNG RiNG Ri...

L'Alberta va despenjar. La Stella es va quedar immòbil, escoltant.

—Saxby Hall, aquí lady Saxby —va dir la dona.

La nena va sacsejar el cap, incrèdula. D'acord que l'Alberta era lady Alberta, però en cap cas era lady Saxby. Aquest havia estat el títol de la mare de la Stella, i ara li pertanyia a ella.

—Ah, senyora directora! Encantada de parlar amb vostè.

Devia ser la senyoreta Beresford, la directora de l'escola de la Stella, el Col·legi Santa Àgata per a Noies Aristocràtiques.

—No, em temo que de moment no podrà tornar a Santa Àgata. No hi ha hagut cap novetat. Segueix en coma profund.

Com podia ser capaç de dir una mentida tan grossa, la seva tieta?

—No, no cal que vinguin a visitar-la, ni vostè ni les nenes, moltes gràcies! Ja sé que s'acosten les festes de Nadal, però si vol pot enviar-li el regal i jo l'hi guardaré. Sí, senyora directora, és una situació ben trista. Sobretot per a mi, que n'estic molt, de la meva neboda. Sí, és clar que li trucaré en el moment que recuperi la consciència. Si ho arriba a fer, és clar. Potser ens hauríem d'anar preparant tots per al pitjor. Ho sento molt, senyora directora, però només de pensar-hi ja ploro com una magdalena.

Llavors es van sentir els udols de l'Alberta:

—Ah-ah-ah! AH-AH-AH!! AAH-AAH-AAH!!! AAAHHH-AAAHHH-AAAHHH!!!! —abans de donar per enllestida la trucada amb un lleuger i alegre—: Apa, adéu!

DING!

Va tornar a penjar l'aparell.

—Vella xafardera —va murmurar l'Alberta per a si mateixa.

La Stella s'havia quedat garratibada. «Preparar-nos per al pitjor»?! Què li tenia reservat, aquella dona malvada? Havia de fugir. De seguida.

La nena va passar de puntetes per davant de la vella armadura que feia segles que era plantada al costat de la porta. Va anar amb  molt de compte de no fregar l'armadura perquè l'arma que sostenia amb el guant metàl·lic (unes batolles) podia caure. I si ho feia, la bola punxeguda enganxada a la cadena faria un CLANC estrepitós en tocar a terra.

Silenciosament, la Stella es va dirigir cap a l'enorme porta de roure. Va fer girar el pom, però estava tancada amb clau. Normalment només la tancaven per fora quan la família sortia, però l'Alberta l'havia tancat per dintre. Probablement per impedir que la seva neboda sortís. Des que la Stella tenia ús de raó, les claus de casa s'havien guardat en un armariet al costat de la porta. La Stella va comprovar l'armariet. No li va sorprendre descobrir que estava completament buit. L'Alberta devia haver amagat totes les claus en algun altre lloc.

A continuació, va decidir enfilar-se a l'ampit de les finestres i va provar d'obrir-les, però també estaven tancades amb clau. Trencar-ne una era massa arriscat. El soroll de la trencadissa alertaria la seva tieta molt més que un grinyol del terra.

Mentre l'Alberta continuava cercant les escriptures, maleint i buidant caixes a l'estudi, la Stella es va recordar d'una cosa. Els seus pares sempre guardaven una còpia de la clau sota l'estoreta, per si hi havia una emergència. Estava gairebé segura que l'Alberta no devia estar-ne al corrent; va aixecar l'estoreta, i la clau vella i rovellada va aparèixer com un tresor enterrat molt temps enrere.

Mentre s'incorporava amb la clau a la mà, la Stella va sentir una presència. Dos ulls grans i vermells la miraven fixament. Els ulls d'un mussol. Era en Wagner. Estava penjat de cap per avall d'una làmpada de sostre. Com un ratpenat. Un ratpenat espantosament mussolenc.

9

Caçada

Si una cosa vull que us quedi clara amb aquest llibre és que... És del tot impossible raonar amb una gran òliba de les muntanyes bavareses.

—Ah..., hola, Wa...Wagner... —va tartamudejar la Stella—. No et preocupis per mi, només sortia a prendre una mica l'aire.

El mussol va empetitir els dos ulls grocs capgirats.

—Per... per... per tant, no fa falta que en diguis res a la meva adorable tieta!

–ESGARIP!

L'esgarip d'en Wagner va ser eixordador.

–ESGARIP! ESGARIP! ESGARIP!

—Xxxt... —va suplicar la nena.

No va servir de res. És impossible raonar-hi.

L'ocellot monstruós va començar a batre les ales, va fer caure l'antiga armadura i les batolles que subjectava sobre el guant de metall, i tot plegat va picar contra el terra amb un fort

C R A T X
P L A F
RAT!

—Xxxt...! Xxxt...! Ocell estúpid!

Semblava que la gran òliba de les muntanyes bavareses hagués comprès el que deia la nena, perquè en Wagner va batre les ales de manera encara més violenta.

En qüestió de segons, la Stella va sentir la tieta Alberta que sortia com un tro del despatx i es dirigia cap al rebedor.

—Wagner —va udolar—. WAGNER...!

Tremolant de por, la Stella va introduir la clau al pany. El pols li va fallar mentre intentava obrir la porta frenèticament.

A cua d'ull, la Stella va veure que la seva tieta cada vegada era més a prop i que avançava resoluda pel passadís. Córrer no era el fort de l'Alberta. L'esport que li esqueia més era la lluita lliure. Tot i així, avançava amb seguretat, com un tanc.

Després del que va semblar una hora sencera i que probablement devia ser menys d'un segon, la nena va sentir per fi el clic del pany que girava. A empentes i rodolons, va agafar el pom com va poder i es va llançar a la foscor.

La lluna plena estava baixa. Il·luminava el mantell espès de neu que cobria el terra. Els peus de la Stella es bellugaven tan de pressa que gairebé no notava el fred. Mentre corria i corria, amb prou feines tenia temps de pensar on anava. Desorientada, va estar a punt de topar directament amb l'enorme figura de neu que algú estava fent sobre la gespa. En veure-la

de prop, es va adonar que devia ser com a mínim deu vegades més alta que ella. La Stella va mirar cap enrere i va veure la silueta de la seva tieta emmarcada en la porta principal, amb en Wagner posat damunt de la mà. La dona estava immòbil. El fet de veure que no la perseguia va acovardir la Stella. Era com si la tieta Alberta tingués el control absolut de la situació.

—PORTA'M AQUESTA DESGRACIADA!—va etzibar la dona, i l'ocellot va aixecar el vol.

El cor de la Stella bategava amb força. Les altíssimes portes de metall que s'alçaven al final del camí d'entrada encara li quedaven molt lluny. Se li enrampaven els peus del fred i ensopegava mentre corria.

En algun lloc damunt del seu cap, la Stella sentia l'aleteig. Va alçar la vista cap al cel negre, però no va poder veure el mussol. El so de les ales era cada cop més audible. En Wagner s'acostava cada cop més.

Des del llindar de la porta, la tieta Alberta donava ordres a l'ocell.

–RECTE, WAGNER! CONTINUA RECTE!

La Stella va intentar accelerar el ritme. Va córrer més de pressa del que havia corregut en la seva vida. Aquella nit tenia la sensació que corria per salvar la vida. Per fi va arribar a les enormes portes de ferro de Saxby Hall. Desesperadament, va intentar obrir-les, però per molt que sotraguejaven, no es movien. La tieta Alberta també les devia haver tancat amb clau. La nena s'havia quedat sense alè. Tenia els peus glaçats. La pell li cremava del fred. Però encara li quedaven forces per lluitar. «Hi ha d'haver alguna altra sortida!», va pensar. Va començar a recórrer el mur que envoltava tot el perímetre de la finca. Era alt, de maons, però hi havia d'haver un forat en algun lloc. O un arbre on enfilar-se per saltar a un dels molts camps que limitaven amb Saxby Hall.

–ARA, EN PICAT!

—va cridar l'Alberta.

La Stella va sentir l'ocellot que accelerava tallant

l'aire darrere seu. La nena no gosava mirar cap a dalt. Simplement va continuar corrent. De sobte va notar que els peus ja no li tocaven el terra. Les cames es continuaven movent, però ja no corria, volava pels aires.

ESGARIP!

L'udol va ser eixordador. La Stella va mirar aterrida, i va veure les urpes afilades com navalles d'en Wagner que li aferraven les espatlles. El mussol gegantí l'havia pescat del terra d'una estrebada, com si estigués caçant una presa.

La Stella va intentar deslliurar-se de l'ocell. Desesperadament, va colpejar amb els punys la criatura temible. De sobte, en Wagner va agafar altura i va sortir disparat cap al cel negre. La Stella va mirar sota

els seus peus que penjaven; la distància era cada cop més gran. Si el mussol la deixava anar, s'esclafaria contra el terra. Tenia tanta por que va tancar els ulls tan fort com va poder.

Mentrestant, la tieta Alberta contemplava com el mussol dibuixava un cercle al cel i tornava la seva neboda cap a casa. Un somriure sinistre li travessava el rostre.

10

Tancada al celler

—Tot això ho faig per la teva seguretat, criatura —va mentir la tieta Alberta.

La dona havia portat la seva neboda a una carbonera, petita i fosca, al soterrani de la casa. Les parets, el terra i el sostre estaven completament negres de polsim de carbó. El celler era subterrani, i per tant no tenia finestres. L'única llum procedia de les espurnes d'una espelma que sostenia l'Alberta. Tenia en Wagner plantat a l'altra mà. La Stella, que encara anava descalça i amb camisa de dormir, seia a terra, castigada. La tieta Alberta s'hi inclinava amenaçadorament.

—No em pots tancar aquí dintre! —va exclamar la Stella.

—Ho faig pel teu propi bé —va respondre la dona.

—Com vols que estar tancada en una carbonera em pugui fer cap bé?!

La nena encara no havia perdut l'energia del tot.

—Molt senzill, criatura meva. Ara que els teus pares no hi són, recau en mi, la teva tieteta preferida, la tasca de cuidar de la teva personeta.

—Ets l'única tieta que tinc! —va dir la nena.

—Per això sóc la teva preferida! Sé que la mort dels teus pares deu haver representat un gran disgust per a tu, com de fet ho ha estat també per a mi...

—Doncs no sembles gaire trista! —va interrompre la Stella, però això no va afectar el discurs de l'Alberta.

—...però no has de tornar a intentar fugir de casa. Això de córrer descalça per la neu, i amb camisa de dormir... Déu meu senyor! Podries agafar una pulmonieta.

—Necessito saber la veritat! Què els ha passat als meus pares? —va exigir la nena.

115

La tieta Alberta va fer una petita pausa. Va empetitir els ulls.

—La veritat ja te l'he dit, joveneta. Va. Ser. Un. Accident. **A, C, C, E, D, A, N, T.*** És a dir, accident!

Disparava les paraules amb força i agressivitat, com si fossin bales que sortissin d'una pistola.

—Això és mentida!

—Com t'atreveixes? Nena dolenta. La tieta Alberta no ha explicat mai una mentida a ningú.

—Em vas dir que m'havia trencat tots els ossos! I era mentida!

La Stella s'adonava que la dona estava cada cop més furiosa. El nas gros, de patata, tremolava de ràbia, encara que intentava dissimular-ho.

—Estaven trencats, criatura. Absolutament tots. Per això et vaig embenar.

---

* Sisplau, no m'escriviu queixant-vos que no sé lletrejar. No és culpa meva, que la tieta Alberta lletregi tan malament. Qualsevol carta de queixa ha de ser enviada directament a ella, Sra. Alberta Saxby, Saxby Hall, Little Saxby, Anglaterra.

—I vas mentir per telèfon quan vas dir a la direc-tora que jo estava en coma!

Ara la tieta Alberta va deixar anar un grunyit llarg i greu.

—Ggggggrrrrrr!

Això va alarmar el mussol, que estava plantat com sempre sobre la seva mà. En Wagner va girar el cap 180 graus per veure d'on procedia el so. L'Alberta va intentar recuperar ràpidament la dignitat.

—Tot just t'acabaves de despertar del coma, cria-tura. No estaves prou bé per tornar a escola immedia-tament. D'acord, potser sí que vaig maquillar una micona la veritat, però només ho vaig fer per prote-gir-te, estimada Stelleta meva.

La tieta Alberta tenia respostes per a tot. La Stella va sospirar.

—Tinc molta gana. I molta set.

—És clar que sí, pobreta! En Wagner et prepararà un dels seus batuts especials —va dir la dona, tot fent un moviment exagerat amb la mà.

—Batuts? —va preguntar la nena.

—Sí, com els que prenies quan estaves en coma. Són molt nutritius. De fet, porto alguns ingredients saborosos a la butxaca. Ell te'ls mastegarà, i així els podràs prendre en forma líquida!

—No! —va protestar la Stella.

La tieta Alberta es va començar a remenar les butxaques.

—Què et ve de gust? —va preguntar alegrement. En va treure una cuca i un ratolí—. Batut de cuca i ratolí?

—Noooooooo! —va protestar la nena.

La tieta Alberta va remenar una mica més.

—Suc de pardal i gripau?

—Noooooooo!

—I un bon liquat de cuc i talp?*

—Nooooooooooooooo!

En Wagner s'estava sobreexcitant de veure tant de menjar, i sacsejava el cap i grallava de plaer. La seva mestressa va deixar caure un grapat d'aquestes pobres i desgraciades criatures dins del seu bec. El mussol va començar a fer-les girar dins de la boca.

—Pots prendre'ls tots junts! Quina exquisidesa!

—Em sembla que vomitaré! —va dir la Stella, tapant-se la boca.

—Hi ha una galleda al racó, nena. També et pot servir d'orinalet. Hi pots fer les teves cacones i els teus pipinets! —La dona va desviar l'atenció cap al mussol—. Wagner! Empassa-t'ho. —El menjar li va baixar per la gola—. Bon mussolet.

L'Alberta li va fer un petó al bec i va anar trotant cap a la porta metàl·lica.

---

* Entre altres sabors, també hi havia:
Llúdriga i cargol; capgròs i rata d'aigua; pinsà i eruga; ratpenat i aranya; granota i vespa; arna i guineueta; eriçó i centpeus; ermini i abella; anguila i llagosta; serp i tritó.

—No em pots deixar aquí! —va protestar la Stella.

—És per la teva seguretat, criatura. No ens podem arriscar que tornis a fugir, oi que no?

—I on vas, ara? —va preguntar la nena.

—He de trobar les escriptures. Al despatx del teu pare no les he trobat enlloc. He intentat interrogar en Gibbon, però el vell idiota m'ha confós amb un cavall. No parava de donar-me copets i d'intentar que li mengés terrossos de sucre de la mà, mentre deia, «bon cavallet, bon cavallet»!

La Stella va provar de dissimular una rialla, mentre la seva tieta continuava parlant.

—He capgirat la casa buscant aquestes escriptures. Quan es va llegir el testament del teu pare, hi deia que les havia amagat en un lloc on jo no les trobaria mai. És absolutament indignant! —L'Alberta va picar de peus a terra per la frustració, i després va abaixar la vista cap a la seva neboda, que tremolava—. Segur que no saps on són, criatura?

—Segur —va respondre la Stella, potser una mica massa de pressa.

L'Alberta va intuir que la nena mentia.

—Segur que el teu estimat papa no va dir res a la seva filla adorada?!

—No.

La Stella va tornar a empassar-se la saliva.

Sabia perfectament on eren les escriptures. El seu pare li havia explicat on les havia amagat, en un lloc que per cert era molt enginyós. Un lloc on el difunt lord Saxby estava convençut que la seva germana Alberta no els cercaria mai.

Endevineu on?

11

Per darrere de les parets

Les escriptures estaven amagades dins d'*El llibre de les regles del joc de la puça*.

En Chester, el pare de la Stella, estava segur que la seva germana, quan cerqués les escriptures de Saxby Hall, buidaria la caixa forta, saquejaria el seu despatx, fins i tot arrencaria els taulons de terra. Però mai de la vida miraria dins del llibre. Tothom sabia

que la tieta Alberta era una tramposa inveterada en el joc de la puça. Les regles oficials del joc no li interessaven gens. Tenia les seves pròpies regles. Les regles de l'Alberta. Regles que podia canviar a conveniència. Mai no havia arribat a obrir el llibre. Era l'amagatall perfecte per a les escriptures.

A la carbonera, la tieta Alberta assetjava la seva neboda amb la mirada.

—Molt bé, Stella, val més que facis una bona pensadeta i te'n recordis d'on estan amagades les escriptures.

—No en tinc ni idea, tieta.

—Això és el que em dius des de fa estona. Potser després de passar uns dies tota sola aquí a les fosques te'n recordaràs de cop i volta. Vet-ho aquí!

Dit això, l'Alberta va fer picar la porta gruixuda i metàl·lica darrere seu, i la va tancar amb clau. Aquesta vegada va treure la clau del pany per a més seguretat. No li tornarien a fer la mateixa jugada. La Stella va sentir el soroll de les passes que s'allunyaven, mentre la seva tieta pujava la vella escala de pedra i tornava a la part principal de la casa.

Sense la llum de l'espelma, el celler havia quedat totalment a les fosques. Era una llàstima que la Stella tingués por de la foscor. Encara amb la camisa de dormir, la nena va gatejar fins on recordava que hi havia la porta. A les palpentes, va trobar el pom, però no s'obria. Intentar-ho era inútil, però estava desesperada i no volia passar ni un moment més en aquell lloc. Llavors va repassar amb els dits les vores de l'habitació, cercant algun forat o obertura a les parets que pogués gratar amb les ungles per fer-lo més gran. No n'hi havia cap. El terra era de pedra i devia tenir un gruix de molts centímetres.

—Ai!

Va picar amb el cap contra una galleda de metall, i aleshores les seves mans van trobar una pila de fragments de carbó que algú havia amuntegat en un racó de la sala. Rendida, no podia fer altra cosa que intentar descansar. La Stella va moure els trossos de carbó amb les mans en un intent de fer-se un coixí on reposar el cap. Allà ajaguda, va començar a plorar suaument amb l'esperança de quedar-se adormida.

Just quan la nena va tancar els ulls, es va sentir un soroll. Era el so d'algú o d'alguna cosa que es bellugava darrere de les parets. Havia sentit aquella ma-

teixa remor en altres ocasions, quan es quedava adormida a la seva habitació. En aquells temps, quan encara hi havia la mare i el pare, de vegades la Stella tenia tanta por que anava corrents a l'habitació d'ells i s'esmunyia al seu llit. Un cop allà, els pares l'abraçaven ben fort, i s'arraulia sota la manta entre tots dos. Ells li acaronaven el caparró amb suavitat, i la besaven dolçament al front. El pare li deia que només era un ratolinet, o els roncs i el xirigueig de les velles canonades de la casa.

Aquella nit, la Stella hauria desitjat amb totes les forces poder córrer novament a l'habitació dels seus pares. Ho hauria canviat tot, el seu futur i el seu passat, per una darrera abraçada familiar en aquell precís instant.

La remor era cada cop més forta. La persona o cosa que hi hagués a l'altra banda de la paret s'estava acostant. Feia massa soroll per ser un ratolí, i les canonades de l'aigua calenta no baixaven fins a la carbonera. La Stella no gosava ni respirar. Va pensar que si no es movia i no feia cap soroll estaria segura, i qui fos que feia el soroll passaria de llarg. Malgrat tot, el cor li bategava amb força contra el pit.

BADUM BADUM BADUM.

La delataria.

BADUM BADUM BADUM.

En el silenci del celler, el batec del seu cor sonava com un tro.

BADUM BADUM BADUM.

La Stella va aguantar la respiració. Aleshores, provinent de la foscor, va sentir una veu. Una veu de nen, que deia:

—Auxili...

La nena va cridar, aterrida.

12

«Pijeta»

—AAAAAAAAAAAARRRR
RRRRRRRGGGGGGGGGGHH
HHHHHHHH!!!!!!!!

—Per l'amor de Déu, para de cridar! —va dir la
veu.

Això va fer que la Stella encara cridés més.

—AAAAAAAAAAAAAA
RRRRRRRRRRRRRGGG
GGGGGGGGGGGGGGGG
HHHHHHHHHHHHHHHH
HHHHHHHH!!!!!!!!!!!!!!

—Calla, caram!

No hi havia cap dubte, era la veu d'un nen. Parlava
amb un accent infinitament més dur que el de la Stella.

El celler estava totalment fosc, i no tenia ni idea de amb qui estava parlant.

—Qui ets? —va demanar la Stella.

—T'ho diré, però m'has de prometre que no ensorraràs la casa amb els teus crits —va contestar ell.

—De... de... d'acord!

—M'ho promets?

—Sí —va respondre la Stella, amb una mica més de seguretat.

—Estàs preparada?

—Sí.

—Segur que no cridaràs?

—SÍ!

La Stella començava a estar una mica irritada.

La veu va fer una petita pausa.

—Vinga, deixa-ho anar.

—Ja va. Bé, doncs, sóc un... fantasma.

—AAAAAAAAAAAAAAAA
AAAAAAAAAAAAAAAAA
RRRRRRRRRRrrrrrrrr
RRRRRRRRRRrrrrrrrr

GGGGGGGGGGGGGGGGGGG
GGGGGGGGGGGGGGGGGGG
HHHHHHHHHHHHHHHHH
HHHHHHHHHHHHHHHHH
HHHHHHH!!! —va cridar la Stella.

El fantasma es va empipar molt.

—M'havies promès que no cridaries!

—Perquè no sabia que diries que ets un fantasma!
—va protestar la nena.

—Bé, i què volies que fes? Dir-te una esfereïda?

—Una què?

—Una mentida! És un rodolí en argot, no ho
veus?

La Stella finalment ho va comprendre.

—És clar.

—Què volies que fes? Dir-te que sóc Santa Claus,
o un personatge d'aquests?

—No, però... —va dubtar la nena.

—Però què?

—No pots ser un fantasma. Els fantasmes no exis-
teixen! La mama i el papa m'ho van ensenyar.

La veu va respondre amb un to lleugerament burleta.

—De veritat? «La mama i el papa»? —va riure del refinament de la nena—. Que *xuli*! Aleshores, si els fantasmes no existeixen, per què has cridat?

Va haver-hi un moment de silenci. La Stella no sabia què respondre. Finalment, va dir:

—Potser he cridat només per divertir-me!

—Segur que sí!

—Home, és que aquí a baix és completament fosc. No et veig. No veig res de res! Si realment ets un fantasma, demostra-ho!

Ara la Stella estava segura que l'havia posat entre l'espasa i la paret.

—Molt bé! —va respondre l'altre, confiat—. Aparta una mica aquest carbó.

—Jo? —va respondre la nena, amb incredulitat.

Malgrat la ruïna de la seva família, la Stella havia gaudit d'una educació privilegiada com a membre de la classe alta. Com que era tan refinada, no estava avesada a rebre ordres. Encara menys que li diguessin que carregués trossos de carbó. I encara menys que li ho diguessin d'una manera tan descortesa. I que ho fes algú que pertanyia tan clarament a la classe baixa que la molt distingida directora de la seva escola l'hauria descrit caritativament de «trinxeraire».*

—Sí! Tu! —va respondre el fantasma. Era evident que no aprovava l'actitud de la nena, però ella encara no estava disposada a rendir-se.

—I per què no ho fas tu mateix? —va dir ella, desafiadora. Per l'accent barroer del fantasma, la Stella estava segura que moure carbó pel terra del celler li esqueia molt més a ell que no pas a ella. De fet, s'ensumava que segurament li encantaria fer-ho. Era probable que li resultés plaent; que fins i tot s'ho prengués com una mena de premi. Potser, en cas que fos el seu aniversari, donar-li l'oportunitat de moure uns trossos de carbó fóra el regal perfecte.

—Estic atrapat a l'altra banda d'aquesta maleït celler, que no ho veus? No el puc bellugar enlloc.

—Que no has dit que eres un fantasma?

---

* Un brètol , un rufià, un murri.

—SANT TORNEM-HI! Sí!

—Llavors, no ho sé, no podries «teletransportar-lo» a través de la paret?

—No. Els fantasmes de veritat no poden «teletransportar» res.

Tot el que la Stella sabia dels fantasmes provenia purament dels contes per a nens que havia llegit. Va quedar força decebuda en assabentar-se que, al capdavall, els fantasmes de veritat no eren capaços de traspassar parets. En part perquè allò significava que hauria de moure tota sola aquella muntanya de carbó.

—Ho sento, no en tenia ni idea —va dir.

Tanmateix, la nena es va quedar totalment immòbil, esperant que, si no feia res durant una bona estona, aquell «trinxeraire» ho acabés fent per ella. Però la cosa no va anar així.

—Vinga! —es va queixar el fantasma—. Com més aviat comencis, més aviat acabaràs.

La Stella va sospirar i es va ajupir per cercar amb les mans la zona del terra de pedra on hi havia el carbó. A contracor, va començar a moure els trossos de lloc. Era una feina dura, i cada cop que feia una pausa per recuperar l'alè, el fantasma cridava:

—Belluga't!

—Vaig tan ràpid com puc! —va protestar la Stella—. Ho sento, però moure carbó no és una cosa que faci habitualment.

El fantasma va deixar anar una rialleta.

—És clar que no. Tu ets una d'aquestes *pijetes*.

—Què? Vull dir, perdona?

—*Pijeta!* —Semblava que el fantasma gaudia de debò dient aquesta paraula, i la va fer servir per mortificar-la—. PIJETA! PIJETA! PIJETA!

Tot era molt infantil, però no podem oblidar que es tractava d'un nen. Del fantasma d'un nen, més ben dit.

—No sóc cap *pijeta*! —va exclamar la nena, bastant ofesa.

—No! És clar que no!

—Gràcies.

—I ara som-hi, *pijeta*! A treballar! Ha, ha!

Ja sé el que deveu estar pensant: per què no hi havia cap il·lustració en aquest capítol? Els dibuixos són la millor part. Doncs perquè les darreres pàgines de la nostra història han passat en la foscor més absoluta. Aquí teniu algunes il·lustracions especialment dedicades als que s'hagin sentit decebuts.

Lady Stella Saxby

La carbonera

Un tros de carbó

13

Una llum en forma de nen

No tenia sentit que la Stella discutís amb el fantasma. La nena va sospirar i va tornar a la feina. A les palpentes, enmig de la foscor, va continuar arrossegant els trossos de carbó pel terra del celler.

Al cap d'un estona va veure alguna cosa que brillava. Al començament no va poder distingir què era, però a mesura que anava enretirant carbó, es va adonar que es tractava d'uns peus. Uns peus força bruts que, tot i així, il·luminaven el celler. Ara que podia veure el que feia, la nena va accelerar el ritme. Aviat va haver apartat tot el carbó, i davant seu es va erigir una llum en forma de nen.

La figura duia pantalons curts, camisa i una gorra que completava l'equipament. Per damunt de l'espatlla sostenia un raspall. Era evident que en vida havia estat escura-xemeneies, el noi que antigament complia la tasca d'enfilar-se per les xemeneies per netejar la carbonissa. Aparentment, ara la seva ocupació a temps complert era la de «fantasma».

—Déu n'hi do, com has trigat! —va dir amb un somriure descarat.

La Stella no podia creure el que veien els seus ulls. Havia tingut raó des del començament. Els sorolls que sovint havia sentit en plena nit eren cosa d'un fantasma. Saxby Hall estava realment encantada. Aquesta n'era la prova vivent. Bé, més aviat la prova difunta.

—Ets una mica baixet, per ser un fantasma —va mussitar la Stella.

—Molt amable, gràcies. Porto tecles aquí amagat...

—Tecles?

La nena estava confosa.

—Segles.

—Ah.

—M'amago aquí perquè no vull espantar ningú, i ara la primera persona que conec em diu que sóc un tap de bassa!

—Ho sento —va respondre la Stella, sense pensar-ho.

—No, no, ara ja ho has dit, oi? T'he sentit plorar i m'he posat trist. He pensat que potser et podria ajudar.

—En realitat no plorava. És que se m'havia ficat una cosa a l'ull —va contestar la nena, que intentava sonar tan adulta com podia—. Però t'ho agraeixo. Mirem de ser amics. —Li va oferir lentament la mà—. Em dic lady Stella de Saxby Hall.

—Ooh! Lady-lady! —El fantasma estava encantat, i va començar a imitar l'accent de classe alta de la nena—. Estic absolutament encantat, lady *Pijeta* de *Pijo* Hall a *Pijilàndia*!

Llavors va començar a treure's la gorra d'una manera tan exagerada que va quedar claríssim que només feia veure que estava impressionat.

La Stella va observar aquesta demostració, amb un somriure trist al rostre.

—I tu com et dius?

—Sutge.

—T'he preguntat com et dius, no com es diu el que neteges.

—Ja ho sé. Em dic Sutge.

—Sutge? És el teu nom?

—Sí.

La nena no va poder evitar posar-se a riure.

—Això no és un nom! No et pots dir Sutge!

El fantasma no semblava gens complagut davant la resposta de la nena.

—Ja n'estic fart! Ja podeu ben riure, milady!

—I ho penso fer —va respondre ella, abans de patir un atac d'histèria.

–Ha ha ha!

En Sutge va doblegar els braços, esperant que aquella donzella tan mal educada parés de riure.

—Ja heu acabat?

—Sí! —va respondre la Stella, netejant-se una llàgrima de riure de l'ull—. Sisplau, digue'm com pot acabar una persona dient-se... —va fer un esforç per no plorar— ...Sutge?!

—No és culpa meva. Mai em van posar un nom. Em van abandonar quan era un nadó, i vaig créixer en una casa d'orfes. No vaig arribar a conèixer els meus pares. El vell que di-

rigia l'asil solia fuetejar tots els nens amb el cinturó.

—No!

—Sí, fins i tot quan no havíem fet res. De manera que vaig fugir. Encara era petit, i vaig conèixer una banda de nois del carrer. Em van dir que podies aconseguir menjar i allotjament si treballaves d'escura-xemeneies. I això és el que vaig fer. Un dia vaig baixar de la xemeneia cobert de carbonissa de cap a peus, i el patró em va dir Sutge!

Ara la nena se sentia una mica culpable per haver rigut. L'experiència vital d'aquell pobre noi havia estat diametralment diferent de la seva. La Stella no havia estat mai en una casa d'orfes, i tremolava només de pensar que podia ser molt brutal. I allò de ficar-se per una xemeneia per netejar la carbonissa li resultava inimaginable.

—Ho sento molt —va dir—. No volia riure, però no havia sentit mai ningú que li diguessin Sutge.

—No us amoïneu, milady.

La Stella volia fer una pregunta que no sabia ben bé com formular.

—Bé, doncs, espero que no t'importi que t'ho pregunti.

—Dispareu!

—Com vas... ja saps... arribar a ser un fantasma?

En Sutge la va mirar i va moure el cap d'una banda a l'altra. Era evident que li semblava una pregunta estúpida.

—Abans t'has de morir, eh?

—Sí, sí, fins aquí hi arribo —va respondre la nena—. Doncs bé, perdona'm, però... com va ser que vas arribar a estar, d'això...?

—Fregit?

—Fregit rima amb... sucumbit! —va endevinar la Stella.

—Molt bé! Veig que ho aneu agafant de mica en mica! —La parella va compartir un somriure—. Doncs bé, milady, potser no em creureu, però vaig morir en aquesta mateixa casa...

14

Moc de fantasma

Plantada en la foscor absoluta del celler, la Stella escoltava en silenci la historia de **terror** que va viure en Sutge.

—D'això ja fa molt de temps —va dir el fantasma—. Jo era tan petit, que el meu patró es pensava que em podia fer enfilar per qualsevol xemeneia, per molt estreta que fos. Sabia que aquesta casa tenia un laberint de xemeneies i petits túnels, de tal manera que jo era perfecte per fer la feina. Va ser molt estrany perquè vaig notar una sensació curiosa quan vaig entrar per la porta...

En Sutge es va aturar, perdut en els seus pensaments. La llum del seu cos projectava ombres sobre les parets del soterrani. Les ombres es bellugaven i ballaven mentre parlava, dibuixant imatges de la seva història com si fossin les il·lustracions d'un llibre.

—Què vols dir, «una sensació curiosa»?

La Stella estava intrigada.

El fantasma va meditar uns instants.

—No ho sé, era com si ja hi hagués estat abans. Però això no era possible, oi?

La Stella va cercar una resposta en la seva ment. Si l'havien abandonat de petit i havia crescut en un asil, semblava impossible que hagués posat mai els peus en una mansió senyorial.

—M'imagino que no —va contestar.

—No. Suposo que teniu raó, milady. Però en qualsevol cas va ser curiós. El meu patró em va empènyer xemeneia amunt i vaig començar a fregar amb el meu espantall...

—Raspall?

—Sí, amb el meu raspall. El meu patró havia sortit a fumar. Aleshores, Déu m'agafi confessat, vaig notar que tenia el cul tot valent!

—Calent! —va exclamar la nena.

—Sí, això és el que he dit. Valent. Vaig mirar per la xemeneia i vaig comprendre que algú havia encès la llar de foc.

—Oh, no —va fer la Stella. Sentia llàstima pel pobre noi—. Qui va poder fer una cosa semblant?

—No ho sé. No els vaig arribar a veure. Vaig demanar socors, però ningú va venir a ajudar-me. Suposo que no devien saber que jo era allà dalt. Abans de poder dir ni ase ni bèstia, vaig veure el fum que pujava. La xemeneia estava completament obturada i no podia pujar pel forat. Estava atrapat. Era la fi.

—Quina història tan terrible. —La nena s'imaginava mentalment l'escena. Dels centenars de maneres diferents que podia morir una persona, aquesta era especialment horripilant. Atrapat en un espai minúscul mentre el fum negre t'embolcallava. Una llàgrima va començar a omplir-li l'ull, i en caure va dibuixar una línia pel rostre brut de carbó.

—Ja torneu a plorar, milady. No m'agrada veure plorar una noia tan bonica com vós.

Això va fer que la Stella encara plorés amb més força. Plorava per en Sutge, pels seus pares i, finalment, per ella mateixa.

—I aquesta és la meva història, milady —va acabar en Sutge.

La nena es va netejar els ulls amb la camisa de dormir, i va respirar fondo per intentar calmar-se.

—I per què et vas quedar aquí, a Saxby Hall?

—No tenia enlloc més on anar, oi? —va respondre el fantasma—. No tenia una llar, ni tan sols tenia un nom, oi? Ni tan sols podia trobar una família en aquell lloc de dalt dels núvols del qual parlen tant quan vas a l'església. De manera que em vaig quedar aquí. Pujant i baixant les xemeneies de dia i de nit.

—Sabia que la casa estava encantada! —va exclamar la nena—. Però la meva mare i el meu pare no em creien.

En Sutge va somriure.

—El que passa és que els adults no ens poden veure, als fantasmes.

—Ah no?

La nena estava intrigada.

—No! Quan et fas gran, deixes de creure en la màgia i en totes aquestes coses. De manera que ets incapaç de veure les coses que ja no hi són en realitat. Has de tenir la ment oberta, com la d'un nen. Quants anys teniu, milady?

—Gairebé tretze.

La Stella estava molt orgullosa d'aquest fet, i com la majoria de nens tenia ganes de ser més gran del que era. De vegades somniava que tenia setze, divuit o vint-i-un anys. Imaginava totes les coses que podria fer quan fos gran, com conduir un cotxe, beure una copa de cava o quedar-se desperta fins a la matinada.

—Llàstima. Llàstima, llàstima —va dir en Sutge, sacsejant el cap.

—Què passa?

—Quan és el vostre aniversari, milady? Necessito saber la data.

—El meu aniversari és la vigília de Nadal. Quin dia és avui?

Entre l'accident i el temps que havia passat en coma, no era sorprenent que la nena hagués perdut la noció del temps.

—Estic força segur que avui és 21 de desembre. De manera que fareu tretze anys d'aquí a tres dies.

—Sí. I això és bo, oi? —va preguntar la nena.

—No, milady. Ara em podeu veure, perquè encara sou una nena, però quan feu tretze anys tot canviarà.

—No et crec! —va dir la Stella de manera brusca.

—Ho veieu? —va contraatacar el fantasma—.

Només teniu dotze anys, i ja dieu que no creieu en una cosa!

—Pe... pe... però...

—Disculpeu-me.

I dit això, en Sutge es va ficar el dit dins d'un nariu i va bufar per l'altre. Un enorme glòbul de moc va anar a parar a terra. La nena havia estat criada per ser una dama. Per fer servir la coberteria correctament durant els àpats, per demanar que l'excusessin quan s'alçava de taula, per mocar-se amb un mocador de fil. No havia vist mai unes maneres tan desagradables.

—Perdona? —va dir, força ofesa.

—No n'hi ha per tant, només és una mica de moc de fantasma!

I aleshores va canviar de nariu i va bufar un altre glòbul que va anar a parar a terra.

—És fastigós! —es va queixar la Stella—. Que no tens un mocador?

—Un què?

—És clar que no! I ara el terra del celler és ple de moc de fantasma, i jo no porto sabates!

En Sutge va fixar els ulls en la nena.

—Mireu, milady, ha estat un plaer conèixer-vos i totes aquestes coses que es diuen, però em sembla que vós i jo no serem mai amics. Els nois amb qui em vaig criar a l'asil no es preocupaven per una miqueta de moc.

—No és pas una miqueta! —va protestar la Stella.

—En realitat hi ha coses molt pitjors que això, al terra d'aquest celler.

—M'esgarrifo només de pensar-ho!

—Una vegada, un noi es va baixar els pantalons i hi va fer una enorme...!

—M'estimo més no saber-ho, gràcies! —va contestar la Stella, tallant el noi.

En Sutge va mirar la nena. Hi havia un mar de diferències entre ells, que semblava impossible de travessar.

—Crec que és millor que ens diguem adéu.

I dit això el fantasma va girar cua i va desaparèixer per la boca de la carbonera.

—Espera! —va suplicar la nena—. Sisplau!

—Què voleu ara, milady? —va sospirar en Sutge.

—M'has d'ajudar.

15

El detectiu fantasma

Enfilar-se per la boca d'una carbonera no era pas una cosa que la Stella hauria pensat que faria mai. Tanmateix, la nova lady Saxby estava fent justament això, mentre seguia l'escura-xemeneies per poder sortir del celler. En Sutge il·luminava el camí amb la seva resplendor fantasmal i li assenyalava on hi havia els maons que sobresortien perquè ella els fes servir d'agafador. El fantasma coneixia cada amagatall i cada esquerda de la xarxa interminable de túnels de Saxby Hall. L'abocador es feia servir per enviar sacs de carbó al celler, on s'emmagatzemava abans d'utilitzar-se a les llars de foc de Saxby Hall. A la part superior de la boca hi havia una petita escotilla a la paret, que donava a la cuina de la casa.

Pujar per l'abocador era difícil, sobretot per a la petita Stella, que estava esgotada i famolenca. Just quan havia començat a avançar de valent, li van relliscar els dits en una part de paret humida.

—Aaah! —va cridar la nena, mentre queia pel tub i arrossegava cap avall tota classe de detritus. Anava rebotant a banda i banda, fins que va aconseguir aturar-se aferrant-se amb una mà a un petit fragment de maó que sobresortia.

—No mireu a baix, milady! —va cridar en Sutge des de dalt.

La Stella no ho va poder evitar. De seguida va mirar cap a baix i va observar que encara estava a molta distància del paviment. Si es deixava anar cauria com una pedra, i probablement es trencaria les dues cames.

—No puc continuar! —va cridar tot alçant la vista, frustrada.

—Sí que podeu, milady. No mireu cap a baix.

—No estic mirant cap a baix! —va protestar.

—Allargueu la mà fins al maó següent que sobresurti. Està just a la vostra esquerra.

—Cauré.

—No caureu pas —la va encoratjar el fantasma—. Busqueu amb la mà l'altre tros de maó. L'heu trobat?

La nena va allargar la mà que tenia lliure.

—Sí, em sembla que sí.

—Ara impulseu-vos cap amunt.

—No tinc prou força.

—Sí que en teniu, milady. Segur que sí. No voldreu podrir-vos eternament en aquesta carbonera, oi?

—No —va murmurar la nena. Semblava que li estigués clavant un sermó. La Stella va respirar fondo i es va catapultar cap amunt.

—Molt bé! Això està fet! —va exclamar en Sutge. Pas a pas, la va anar guiant en l'ascensió.

Darrere de la silueta d'en Sutge, la Stella podia veure com el retall de llum es feia cada vegada més gran. Finalment va aconseguir enfilar-se fins a la part superior de l'abocador, i va sortir pel forat. Commocionada i esgotada, la nena va caure feta un nyap, sense cap elegància, damunt de les rajoles fredes de la cuina.

Alguns dels records més feliços de la Stella els havia viscut en aquella cuina. Com que havia crescut envoltada d'un exèrcit de servents, la seva mare no havia après mai a cuinar. Però quan van haver de prescindir del personal de servei, després que l'Alberta malgastés tots els diners de la família, es va veure forçada a intentar-ho. Era una cuinera atroç; i els seus plats es van fer llegendaris. Però tots aquells pastissos que mai s'inflaven, aquelles gelatines que mai quallaven, aquelles creps que sortien volant pels aires i quedaven enganxades al sostre, estaven fetes amb l'ingredient més important de tots: l'amor. La petita Stella ajudava la seva mare a la cuina. Juntes feien brioixs, el plat predilecte del seu pare.

Encara que sortissin del forn amb aspecte de gàrgoles, després de cobrir-los amb enormes cullerades de crema anglesa i melmelada de maduixa, els brioixs eren absolutament deliciosos. Quan els seus pares encara vivien, la cuina sempre havia estat un indret ple d'alegria. Desgraciadament, ara, com la resta de la casa, s'havia convertit en un desert.

Asseguts a terra, la Stella va explicar al seu nou amic tots els esdeveniments que l'havien conduït al seu empresonament al celler. Que havia patit un accident de cotxe terrible que havia costat la vida dels seus pares, un accident del qual no conservava cap record. Que havia passat mesos en estat de coma. Que la seva tieta Alberta intentava mantenir-la presonera a la seva pròpia casa. Que aquella dona malvada estava desesperada per trobar les escriptures de Saxby Hall i que la Stella li traspassés la propietat. Que en cas que ho fes temia per la seva vida, perquè Déu sabia quina malesa li tenia reservada la seva tieta. Que havia intentat fugir al poble més proper, però el mussol gegantí l'havia capturat i l'havia tornat a portar a casa. Que el «tràgic» accident que havia matat els seus pares no semblava aigua clara. Que totes les sospites apuntaven a l'Alberta.

En Sutge va escoltar amb interès tot el que explicava la nena, i quan va haver acabat es va quedar una estona reflexionant.

—Tot plegat fa pudor de socarrimat, milady —va dir—. Si voleu enxampar la vella boja us calen proves.

—Sí, suposo que sí —va estar d'acord la nena—. Fem-nos detectius, com els que surten als meus llibres preferits!

Un llamp d'energia va recórrer el cos de la Stella només de pensar-hi, i es va alçar d'un bot, tota excitada.

—Detectius de veritat!

En Sutge també s'estava animant.

—Si treballem plegats, podem buscar pistes. Per on creus que hauríem de començar?

El fantasma va pensar durant un instant.

—Pel garatge! Anem a veure què se n'ha fet del cotxe.

—Som-hi doncs, detectiu Sutge!

—Som-hi, detectiu milady!

16

Un regust amarg

Davant l'astorament de la Stella, el preciós Rolls
Royce de la família continuava al seu lloc dins del
garatge. Amb la particularitat que ja no era preciós.
El cotxe s'havia convertit en un desgavell de ferralla i
vidres trencats. El parabrisa estava esmicolat i la ca-
pota gairebé destrossada.

L'estatueta de la dona platejada que s'erigia orgullosa damunt del motor de tots els Rolls Royce estava torçada cap a un cantó. Pels mesos que havien passat des de l'accident, el cotxe havia quedat cobert per una espessa capa de pols. Fins i tot una aranya havia teixit una teranyina en una de les finestres trencades.

La Stella es va posar a plorar desconsoladament en veure el cotxe en aquell estat. Allò donava veracitat a la història. Realment havien tingut un accident horrible i, per l'abast dels desperfectes, la Stella tenia molta sort d'estar viva. Era segur que els ocupants dels seients davanters devien haver mort de manera instantània.

—Em sap molt greu, milady —va murmurar en Sutge. Va veure una baieta oliosa a terra, i es va ajupir per collir-la.

—Teniu, eixugueu-vos els ulls amb això. Ja sé que no és un mocador gaire elegant, però és el millor que he pogut trobar.

La Stella va quedar commoguda per la seva amabilitat, i la va agafar amb un somriure.

—Potser he fet malament de dubtar de la meva tieta, i quan parla de l'accident em diu la veritat —va dir la nena. Va ensumar mentre es netejava la cara, que estava feta un desastre, bruta de llàgrimes, carbó i mocs.

—I per què t'hauria de tancar a la carbonera, si no tingués res a amagar?

—Va dir que ho feia pel meu propi bé —va raonar la Stella—. Perquè no provés de tornar a fugir en plena nit.

El fantasma va negar amb el cap.

—A mi tot això em fa molta pudor, milady. Penseu-hi. No recordeu res de l'accident? —va preguntar—. Res en absolut?

La nena va cercar en la seva ment.

—Està tot borrós.

—Alguna cosa? —va insistir en Sutge—. No ha de ser res gaire important. Qualsevol cosa. Alguna cosa petita que ens pugui donar una pista grossa per resoldre el cas.

El fantasma començava a parlar com un detectiu de veritat.

La Stella va pensar un instant, i va començar a repassar mentalment els esdeveniments d'aquell dia.

—El papa, la mama i jo havíem d'anar amb cotxe a Londres. El papa tenia una altra entrevista al banc. La meva tieta ens havia deixat totalment endeutats, i el papa és... —La nena va fer una pausa i en Sutge li va oferir un somriure de suport—. Vull dir que el papa era tan encantador i intel·ligent que sempre aconseguia convèncer el director del banc perquè ens deixés conservar Saxby Hall. I la mama sabia que jo volia veure el palau de Buckingham, que és on viu el rei. Mai teníem diners per anar enlloc. Però a mi m'era igual. Estimava tant la meva mare, que no m'importava el que féssim, mentre estiguéssim juntes, agafades de bracet.

—La vostra vella devia ser una dona molt especial —va murmurar en Sutge.

Per un instant, la parella va romandre en un silenci trist, mentre la remor de la tempesta de neu arribava des de l'exterior.

—Sí que ho era —va assentir finalment la Stella. Mai havia pensat que l'antiga lady Saxby pogués arribar a ser descrita com «la seva vella», però sabia que en Sutge ho deia de bona fe.

—I la tieta? Anava amb vosaltres? —va preguntar el noi.

La nena va negar amb el cap.

—El papa li va preguntar si volia venir, però ella va dir que no. Algunes vegades ens demanava que la portéssim a Londres a comprar joguines perquè el seu mussol les pogués destrossar, però aquell dia no va voler.

—Aquell ocellot em fa esgarrifar! —va exclamar en Sutge—. M'ha picotejat un munt de vegades al llarg dels anys. I m'ha perseguit xemeneies amunt.

—Diuen que els animals noten els fantasmes —va dir la Stella.

—No és tracta només de notar, milady. Es capaç de veure'm perfectament. Tots els animals poden fer-ho. Aleshores, per què no va anar amb vosaltres, la tieta?

—Ah, sí. El fet és que l'Alberta estava molt convençuda de voler quedar-se a casa.

—Interessant. Molt interessant. —El fantasma es gratava la barbeta, ficant-se totalment en el paper detectivesc—. Recordeu alguna cosa de l'accident?

—No —va respondre la nena—. Res de res. L'últim que recordo és que em vaig trobar molt malament i em vaig desmaiar al seient del darrere del Rolls.

El fantasma havia estat caminant amunt i avall pel garatge, però de sobte es va aturar en sec. Semblava una pista important.

—Malament, milady?

—Sí, estava marejada, i tenia molta calor, malgrat que aquell dia feia molt fred.

—Continueu.

—A mesura que ens acostàvem a la ciutat, els ulls se'm tancaven. L'última vegada que els vaig tancar devia ser abans que el Rolls s'estavellés.

—I els vostres pares?

La ment de la nena anava a tota velocitat. Ara tot li tornava a la memòria.

—La meva mare em va dir que tampoc no es trobava bé, però sabia que la reunió del pare amb el director del banc era molt important. Havia de salvar Saxby Hall. No volia que hagués de tornar per ella.

Ara en Sutge estava convençut que havien trobat alguna cosa.

—I el vostre pare?

—No ho sé —va respondre la nena, sospirant—. Si no es trobava bé, ho va dissimular. Però el meu pare era així. Sempre feia el cor fort.

El fantasma va continuar caminant amunt i avall, intentant ajuntar les peces del trencaclosques.

—Si el vostre vell també es trobava malament, això explicaria l'accident.

—Ja ho sé —va assentir la nena—. Al seient del darrere, jo tenia la sensació que tot s'apagava.

—Què us podia haver fet trobar malament a tots alhora? —va dir en Sutge, gairebé parlant per a ell mateix—. Se sentia alguna olor estranya, al cotxe?

—Alguna olor estranya? Com ara quina?

—No ho sé. El fum del tub d'escapament, potser? Això us hauria afectat a tots.

—No. —La nena n'estava segura—. Al cotxe no li passava res. Era l'orgull del meu pare. Sempre mantenia el Rolls en perfectes condicions. El motor roncava com un gat, quan el conduïa.

—Aleshores, si no era el cotxe —va fer el fantasma—, devia ser alguna altra cosa. Havíeu esmorzat alguna cosa estranya, aquell matí?

—No. La mamà ens havia fet uns ous passats per aigua. Això és el que vam esmorzar. —De sobte, la Stella va recordar una cosa—. Però...

—Sí?

El fantasma escoltava amb impaciència.

—La tieta Alberta va preparar el te, aquell matí.

—El te?

—Sí. Va ser una novetat. Normalment, no feia mai

res per nosaltres. Per això me'n recordo. I recordo que li vaig dir a la mamà que el te tenia un gust estrany...

—Estrany?

—Sí, vull dir que era peculiar. Poc usual. Però la mamà em va dir que me'l begués, per no fer un lleig a la tieta. Com que no me'l podia empassar, quan ningú mirava vaig buidar la meva tassa en un test.

—Quin gust tenia, milady? —va preguntar en Sutge.

La Stella feia un esforç desesperat per recordar.

—Crec que només en devia fer una glopada. Una mica amargant. Jo sempre prenc el te amb sucre i llet, però igualment tenia un regust amarg.

—Va beure d'aquest te, la tieta?

—No. No. No en va beure. —La Stella n'estava segura—. La tieta Alberta se'n va servir una tassa, però no la va arribar a tastar.

—Els vostres pares també van pensar que tenia un gust estrany?

—Si ho van pensar, eren massa educats per dir-ho davant seu —va contestar la Stella—. Però recordo que tots dos van fer una ganyota mentre bevien. —De sobte, un pensament li va travessar la ment com un llampec—. L'Alberta devia haver esquitxat el te amb...

Tots dos es van mirar i van dir al mateix temps:

—VERÍ!

17

Postres a dojo

CRAIX!

En aquell precís instant, les portes del garatge es van obrir de bat a bat.

—AAAHHHH! La Stella va empassar-se l'aire.

Hi havia algú o alguna cosa, allà fora?

La tempesta era violentíssima, i uns remolins de neu entraven dins del garatge. La Stella va córrer cap a les portes i va intentar dominar amb tot el seu pes les fortes batzegades del vent. En Sutge la va ajudar, i junts van aconseguir tancar-les i passar-hi la balda.

—Aquesta nit és impossible que pugueu fugir, senyoreta —va dir el fantasma—. Haureu d'esperar que amaini la tempesta. Però de moment no sembla que tingui cap intenció d'esvair-se.

La nena va sentir una esgarrifança de pànic.

—Però no m'atreveixo a esperar ni un minut més. La meva tieta ja ha intentat enverinar-me a mi, el meu pare i la meva mare; qui sap què provarà a continuació? He de trucar a la policia!

—No creieu que abans necessitem alguna prova? —va suggerir en Sutge.

—No! He de trucar ara mateix! —va exclamar la nena—. Però és molt perillós.

—Per què?

—Només hi ha dos telèfons en tota la casa. Un és a l'habitació de l'Alberta, però té la porta tancada amb clau a totes hores. L'altre és al despatx del papa, i la meva tieta està convençuda que les escriptures de Saxby Hall són allà. Passa dia i nit en aquell despatx, regirant la cambra de dalt a baix.

En Sutge va meditar un moment.

—Potser puc mirar de distreure-la.

—Com?

—No ho sé pas. Llançant uns plats al terra? Als fantasmes ens encanta fer aquesta mena de coses. Normalment acostuma a funcionar.

—I si t'enxampen? —va preguntar la Stella. En el poc temps que feia que coneixia el petit escura-xemeneies, li havia agafat força estima.

—La tieta Alberta és una persona adulta, no em pot veure, oi?

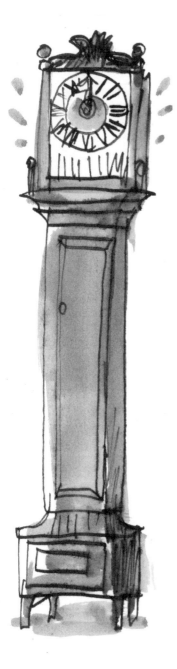

—Tens raó —va respondre la nena, que encara tenia problemes per recordar totes les regles dels fantasmes—. Però, i en Wagner?

—Esperem que estigui ben adormit. Aquest mussol sí que fa molta por!

La Stella i en Sutge van avançar de puntetes pel passadís. El rellotge de l'avi els va clavar un bon ensurt, perquè just en aquell moment van tocar les dotze de la nit.

BONG!
BONG!
BONG!
BONG!
BONG!

BONG! BONG! BONG! BONG! BONG! BONG! BONG!

Aviat van arribar a l'entrada del grandiós menjador. Van treure el cap per darrere la porta oberta i van veure l'Alberta i en Wagner gaudint d'un festí de mitjanit. Era evident que la dona pensava que la seva neboda seguia tancada a la carbonera, on ella l'havia deixat. No podia saber que en realitat la Stella només estava a uns passos de distància.

La dona seia a un extrem de la taula interminable, i el seu mussol estava instal·lat a l'altra punta, amb el tovalló lligat al coll. Un enorme canelobre amb una vintena d'espelmes enceses il·luminava la sala.

La taula estava plena a vessar de tota mena de postres i dolços. Era l'única cosa que l'Alberta menjava.

No prenia mai tall. Ni entrant. No, l'Alberta anava directament al púding. Engolia postres per esmorzar, per dinar i per sopar, i per això era tan ampla com alta.

Allà hi havia postres per donar i per vendre!

- Un pastís de poma gegant, fet amb cent pomes com a mínim.

- Una piràmide altíssima de boles de xocolata.

- Lioneses de la mida de coixins.

- Un enorme pastís de xocolata recobert de mantega.

- Melindros farcits de crema apilats fins al sostre.

- Una merenga tan grossa que hi podies nedar.

- Dònuts refregits farcits de melmelada.

- Una Selva Negra que feia venir salivera. Només calia mirar-lo per doblar automàticament el pes.

- Un cossi enorme de caramel fregit que encara bullia a la paella.

- Un mussol de mida real completament fet de massapà.

- Una galleda fonda plena de nata amb una enorme cullerada de nata per acabar-ho d'adobar.

- Galetes de mantega amb dues capes de xocolata.

- Una gelatina tremolosa tan gegantina que hauria pogut fer caure un hipopòtam.

A la Stella se li va fer la boca aigua quan va veure tot aquell bé de Déu de menjar. Feia dies que la pobra noia no prenia res. Per un instant va pensar que es desmaiaria només de flairar l'olor dolça. La tieta

Alberta endrapava amb avarícia, tot fent sorollosos sons engolidors...

ESLURP!

... i eructant entre presa i presa.

R O T !
ROOOOOOT!
ROOOOOOOOOO
TTTTTTTTTT!!!

L'Alberta podria haver guanyat el bronze, la plata i l'or als Jocs Olímpics en la prova de tirar-se rots.

Mentrestant, en Wagner picava d'un bufet fred de criatures del bosc mortes. Hi havia ratolins, esquirols, eriçons, pardals, fins i tot un teixó. Tots els seus premis preferits.

Mentre menjava, la dona remenava una gran capsa de documents que havia agafat del despatx, i anava llançant tot de papers, empipada, per damunt l'espatlla.

—On són les maleïdes escriptures? —murmurava per a si mateixa, tot devorant a la vegada queixalades voraces de Selva Negra.

—Anem, milady —va murmurar en Sutge. La nena s'havia quedat hipnotitzada amb els pastissos.

Tots dos es van posar de quatre grapes i van gatejar porta enllà.

L'habitació següent era el despatx. El pare de la Stella sempre havia mantingut l'estudi perfectament ordenat. Era el petit santuari de lord Saxby. Ara, en canvi, els documents, les fotografies, les capses, els arxivadors i els llibres estaven escampats pel terra. L'escriptori estava capgirat, els vidres dels aparadors trencats i la gran butaca de cuir del pare havia estat esventrada amb un ganivet. Semblava que hagués esclatat una bomba. Certament, la tieta Alberta havia cercat les escriptures PER TOT ARREU.

Normalment, el telèfon estava damunt de l'escriptori, però després del saqueig no es veia per enlloc. La Stella es va acostar a la paret i en va trobar un extrem del cable. Després va resseguir la mà al llarg del fil fins que va encertar l'aparell, amagat sota una pila enorme de papers. Amb el telèfon funcionant damunt la falda, la Stella va fer un senyal a en Sutge, que l'esperava a la porta, vigilant el passadís.

—Ara! —va xiuxiuejar.

—Què? —va respondre en Sutge.

—Ara! —va dir ella, més fort.

El fantasma va fer un gest afirmatiu, i va marxar per posar en pràctica la seva maniobra de distracció. Tenia preparada una rutina bastant típica de fantasma que llança plats per la cuina, però amb sort serviria perquè l'Alberta anés corrents a veure què passava i la Stella guanyés una mica de temps.

Potser us interessarà saber que els trucs fantasmals més esgarrifosos que recomana la Societat Britànica d'Esperits (SBE) són:

- Trucar a les portes i marxar corrents.

- Posar discos al tocadiscos i apujar el volum.

- Fer volar llibres per la biblioteca.

- Empènyer grans peces de mobiliari.

- Fer sonar cadenes en plena nit.

- Fer ballar dues cadires.

- Fer levitar la coberteria.

- Tirar la cadena quan encara hi ha algú assegut a la tassa.

- Passejar-se pel dormitori amb un llençol damunt del cap.

- Moure objectes per la casa aleatòriament, com per exemple posar els calçotets d'algú dins de la nevera.

- Riure malèficament dins d'un gerro, i fer que l'eco ressoni per tota la casa.

- Fer un dibuix obscè d'un cul al mirall del lavabo i esperar que se'n vagi el vapor perquè es vegi.

Si us ha passat alguna d'aquestes coses, pot ser que la vostra casa estigui encantada. O potser només és cosa del vostre germanet entremaliat.

La nena va sentir que al fons del passadís començaven a trencar-se els plats contra el terra de la cuina. Al cap d'un instant, va sentir la tieta Alberta que cridava «Wagner! Wagner!» des del menjador. I finalment va reconèixer el so inconfusible d'una dona corpulenta abraonant-se pel passadís.

Era la gran ocasió de la Stella.

L'havia d'aprofitar.

Ara.

Ara mateix.

18

Crac cric crac

A l'estudi del seu pare, la Stella es va ajupir i va respirar fondo. Va agafar el telèfon i es va posar l'auricular a l'orella. No estava segura de sentir o no el senyal de trucada, perquè el xivarri que venia de la cuina era eixordador. Tot i així, va posar el dit en el disc i el va fer girar. Va fer una ganyota en sentir el brunzit del disc tornant a posar-se a lloc, malgrat el renou que arribava de més enllà del passadís. Mentre sentia com els plats es trencaven en picar contra el terra, va fer girar dues vegades més el dial, i va esperar amb ansietat. Per fi, una veu inusualment aguda des de l'altra banda de la línia va dir:

—Digui? Servei d'emergències. Quin servei necessita, sisplau?

—Policia! —va respondre la Stella, tan ràpidament i dissimuladament com va poder.

—Disculpi, senyoreta, pot repetir el que ha dit? Se sent un soroll molt fort.

—Sí, sí, és clar, ho sento —va dir la nena, alçant una mica la veu—. Vull parlar amb la policia. És urgent.

—Policia! L'hi passo ara mateix.

Va haver-hi una pausa, i una veu diferent va aparèixer a la línia. Una veu molt més profunda, tan profunda que gairebé era un **grunyit**.

—Aquí la policia. Comissaria de Little Saxby. Quin delicte vol denunciar, senyoreta?

—És... D'això...

Sense saber per què, la Stella se sentia com una estúpida.

—Continuï —la va comminar la veu.

—És...

—Sí? Deixi-ho anar!

—Un assassinat!

Té. Ja ho havia dit.

A l'altra banda de la línia es va fer un moment de silenci. Llavors, la veu va preguntar:

—Un assassinat?

—Sí —va respondre la nena—. Dos assassinats, de fet!

—Algun més?

El to de l'agent de policia cohibia la Stella. Potser es pensava que només es tractava d'una altra criatura estúpida que feia una broma de mal gust.

—Escolti, m'ha de creure, senyor —va suplicar—. Parlo molt seriosament. Sí, només són dos. Bé, no «només» dos. Dos! Dos continuen sent molts.

—Aleshores es planta amb aquests dos?

—Sí.

—Només els dos assassinats?

—Això mateix, sí.

—Alguna novetat, en algun dels dos?

—No.

—Bé, senyoreta, li importaria dir-me qui han assassinat, exactament?

—La mama i el papa. Vull dir la meva mare i el meu pare.

—N'està segura?

—Sí.

—Interessant. I qui creu que ha comès els assassinats?

La Stella va dubtar un moment, i va respondre:

—La meva tieta.

—Ho sento, no he sentit el que m'acaba de dir, crec que hi deu haver un problema amb la línia, però m'ha semblat entendre alguna cosa de la seva «tieta»!

Llavors la Stella es va haver de separar l'auricular de l'orella perquè es va sentir una crepitació eixordadora a l'altra banda de la línia.

CRIC CRAC CRIC.

—Ho pot repetir, sisplau? —va exigir la veu.

—En efecte, senyor. He dit la meva tieta.

—Ho sento, hi ha problemes a la línia.

CRAC CRIC CRAC.

—Ha estat la meva tieta! —va exclamar la Stella, una mica més fort del que hauria volgut—. Es diu Alberta. Alberta Saxby.

A l'altra banda del receptor es va sentir el fregament d'un llapis, com si el policia estigués prenent notes.

—Aleshores diu que sí que ha dit la seva tieta. Aquesta Alberta Saxby, és senyora o senyoreta?

—Senyoreta, em penso.

—Senyoreta?

—Sí, senyoreta.

—Senyoreta Alberta Saxby. —Era evident que l'agent estava prenent notes—. No cal que li recordi que aquesta nit hi ha una terrible tempesta de neu, arreu d'Anglaterra.

—Sí, ja ho sé —va respondre la Stella. Mentre parlaven, sentia la neu picant a la finestra del despatx.

—Per aquest motiu, senyoreta, em temo que aquest assumpte haurà d'ajornar-se fins demà al matí.

La Stella va sentir una onada de por. Qui sabia el que era capaç de fer aquella dona malvada abans que arribés el matí?

—Segur que no poden enviar ningú aquesta nit? Sisplau! —va pregar.

—Totalment segur —va respondre l'agent, amb fermesa—. Però no passi pena, que com que es tracta d'un assassinat, vull dir d'un assassinat doble, li prego que em disculpi, senyoreta, enviarem el millor detectiu de la seu de Scotland Yard a Londres a primera hora del matí. Adéu.

Just quan estava a punt de penjar l'aparell, la Stella va recordar una cosa.

—No necessiten la meva adreça?

—Ah, sí! —va dir la veu des de l'altra banda de la línia—. Li demano disculpes, senyoreta. Quina és la seva adreça?

—Saxby Hall.

—Saxby Hall, molt bé, ara ja ho tinc tot. Ho sento, senyoreta, però crec que tampoc m'ha dit el seu nom.

—Bé, de fet, sóc...

—Sí?

Per fi ho va deixar anar.

—Lady Saxby.

Per experiència, perquè ho havia vist amb els seus pares, sabia que fer servir el títol sempre feia que l'altra gent prestés més atenció.

—Una lady! N'està segura? —va dir el policia en un to una mica burleta.

—Sí que ho estic. Sóc la nova lady Saxby. Lady Stella Saxby.

—Bé, doncs, «lady» Saxby, s'ha fet terriblement tard, ara mateix, el rellotge de comissaria diu que ja és més de mitjanit. Ja ha passat l'hora que se'n vagi a dormir.

—És cert —va estar-hi d'acord la Stella, per bé que en aquells moments semblava impossible pensar a anar-se'n al llit.

—Bé, doncs, li aconsello que se'n vagi directament a dormir, i el detectiu la vindrà a veure demà a primera hora del matí.

—M'ho promet?

—L'hi prometo, senyoreta, perdó, «lady» Saxby. A primera hora.

—Gràcies.

La Stella hauria d'intentar sobreviure fins aleshores.

—Una altra cosa, lady Saxby.

—Sí? —va preguntar la nena.

—Espero que no tingui malsons.

CLIC.

Havien penjat el telèfon.

19

Profundament horripilant

La Stella va penjar l'aparell, va sortir lentament, de puntetes, del despatx del seu pare i va retrocedir novament pel passadís. Amb gran precaució, es va apropar a la cuina. Plats, tasses, marcelines i bols encara sortien volant dels armaris i s'estavellaven contra el terra. La cuina estava coberta d'una muntanya de peces de vaixella trencades que gairebé li arribaven fins a l'alçada del genoll.

En Wagner volava per la cuina de manera caòtica, cap aquí i cap allà, intentant picotejar el fantasma amb el seu bec, afilat com una navalla. Quan hi va entrar la Stella, en Sutge s'estava barallant amb l'ocell amb una salsera, fins que aquest objecte també va anar a parar a terra i es va esmicolar en centenars de fragments.

Davant la sorpresa de la nena, l'Alberta no es veia per enlloc. La Stella va patir un atac de pànic. Potser la dona havia marxat corrents al soterrani per comprovar que encara hi era?

Sense que en Wagner la veiés, la Stella va passar de puntetes per damunt de la vaixella trencada, i va dirigir-se a l'abocador de carbó.

Just quan ja s'hi havia ficat, traient tot just el cap per veure el que estava passant, la tieta Alberta va irrompre a l'habitació. La dona semblava absolutament superada per la situació.

—**Wagner!** —va cridar—. La vaixella! Però què fas amb la vaixella? Ocell dolent!

La Stella es va adonar que en Sutge tenia raó, que els adults no podien veure els fantasmes. D'una manera deliciosa, l'Alberta estava culpant el seu mussol com el causant de la destrossa.

El trajecte de baixada per l'abocador va ser més difícil que el de pujada. Sense la llum fantasmal d'en Sutge que la guiés, el camí completament fosc va ser terrorífic. La Stella tenia por de caure en qualsevol moment. Per fi, els peus descalços van tocar el paviment fred de pedra. Just en el moment que ho feia, va sentir unes passes estentòries que corrien escales avall. Era la seva tieta, que venia a comprovar si tot anava a l'hora! Tan de pressa com va poder, va jeure al terra i va tancar els ulls, fent veure que dormia. Va sentir el soroll metàl·lic de les claus, i llavors la gran porta d'acer es va obrir amb estrèpit. La nena va mantenir els ulls tancats i fins i tot va provar de roncar una mica per vendre la idea que feia hores que estava profundament adormida.

Zzzz

Zzzz

Zzzzz.

Notar que la seva tieta es bellugava pels voltants era una sensació profundament horripilant.

Per un moment, tot va quedar en suspens. La Stella fins i tot era capaç d'olorar el cuir humit de les botes de l'Alberta. No va poder evitar obrir un ull una miqueta, i per la petita obertura va espiar la bota negra i enorme que l'observava.

No podia estar més a prop de la seva cara. Ràpidament, va tornar a tancar l'ull. La Stella estava segura que s'havia delatat. Va notar un parpelleig lleuger i l'escalfor de l'espelma quan la seva tieta la hi va acostar a la cara. De tota manera, es va quedar mortalment quieta, i aviat va sentir que les passes de la dona tornaven cap a la porta del celler. Tot i així, la Stella va esperar fins que va sentir que tancava la porta amb clau i que les passes s'allunyaven escales amunt. Aleshores va tornar a obrir els ulls. Havia aconseguit fer creure a la seva tieta que havia estat adormida tota l'estona.

Aleshores es va incorporar damunt del terra de pedra del soterrani. Era ben diferent del gran llit antic i confortable del pis de dalt. Tot d'una, va sentir un xerric procedent de l'abocador de carbó. De seguida, una llum va resplendir lleugerament al celler, i es va anar fent cada vegada més brillant.

Era en Sutge!

La Stella mai no hauria pensat que s'alegraria tant de veure un fantasma.

—I bé, milady, heu pogut fer la trucada amb el vell persèfon?

—El què?

—El telèfon!

—Ah, sí! —Li costava habituar-se a aquell argot de rima incomprensible—. Sí, he trucat a la policia, i diuen que enviaran el millor detectiu de Scotland Yard a primera hora del matí.

—Això és genial! —va exclamar en Sutge—. I ara, milady, intenteu dormir una mica. Heu d'estar en condicions per explicar-ho tot a aquest policia demà al matí.

—Tens raó.

—Ara m'enfilaré per les xemeneies de la casa, i m'instal·laré a la teulada, a vigilar.

—Gràcies, Sutge.

—És un plaer, milady. Baixaré a despertar-vos tan aviat com vegi que s'acosta.

—Gràcies, Sutge —va tornar a dir, amb suavitat—. No sé què faria sense tu.

El fantasma es va treure la gorra.

—Un plaer servir-vos, milady. Bona nit.

—Bona nit. —La Stella va fer una pausa, va reconèixer—: Estic espantada.

En Sutge li va oferir un somriure de suport, li va posar la mà damunt l'espatlla i li va dir:

—No us preocupeu per res. Penseu que sóc aquí.

Com que en Sutge era un fantasma, la Stella no va notar res, quan ell la va tocar... només una coseta en el cor.

—D'acord —va respondre.

—Ara intenteu dormir, milady. Si em necessiteu, seré a la teulada!

I dit això, el fantasma va desaparèixer per l'abocador de carbó, i el celler va tornar a quedar a les fosques.

Amb moviments experts, en Sutge es va anar enfilant per la casa. Primer va grimpar per l'abocador de carbó. Aleshores, des de la cuina, va pujar fins a la sala d'estar, on hi havia una llar de foc immensa. Aquesta xemeneia el va dur fins al primer pis. Per a ell tota la casa era un immens tauler del joc de l'oca.

Al cap d'una estona ja es trobava al capdamunt de la casa. Un cop allà, va sortir pel forat de la xemeneia i va seure a la teulada, que estava coberta per una espessa capa de neu. En Sutge volia divisar el policia abans que no ho fes la tieta malvada de la nena. Allà va seure, envoltat per la tempesta.

En Sutge va contemplar els camps deserts, i es va disposar a esperar fins a veure una llum en la distància.

20

Boja del tot

Fins a trenc d'alba, en Sutge no va divisar una figura llunyana que s'aproximava a la casa, muntada en una motocicleta. La neu continuava caient del cel pàl·lid, encara que d'una manera una mica més lleugera que abans. Per un moment va dubtar si era la moto de

l'Alberta, però no, no duia el sidecar, i transportava un home corpulent i cepat, amb vestit i corbata i un abric llarg que aletejava darrere seu a causa del vent, com si fos una capa. Tan aviat com va veure la figura que s'acostava a les portes de Saxby Hall, el fantasma es va llançar xemeneia avall per avisar la Stella.

—Ja és aquí! —va exclamar ple d'excitació, tot apareixent com un llampec pel forat de l'abocador de carbó.

—Qui?

—El policia, qui vols que sigui?

—Gràcies a Déu! —va respondre la nena, incorporant-se—. Quina hora és?

Com que havia passat tota la nit al celler en la foscor més completa, la Stella estava totalment desorientada. No tenia ni idea de quanta estona havia dormit.

—Tot just s'està fent de dia. Però encara és molt d'hora.

—Aleshores no hi ha temps a perdre. La tieta Alberta sempre es lleva d'hora. Hem d'arribar a la porta principal abans que el detectiu toqui el timbre.

—Seguiu-me, doncs, milady —va contestar en Sutge, i plegats van pujar per la boca de la carbonera.

El cor de la noia bategava amb força quan va sortir disparada per la cuina i va córrer pel passadís en direcció a la porta principal.

Va intentar fer girar el mànec i va murmurar:

—Me n'havia oblidat! La porta principal està tancada! I la tieta Alberta ha amagat les claus!

—Ha d'haver-hi alguna altra manera d'entrar —va respondre en Sutge.

A l'altra banda de la porta, tots dos van sentir el motor de la moto que s'aturava i el so d'unes passes que avançaven treballosament entre la neu.

—Si truca al timbre, despertarà la tieta Alberta! —va dir la Stella.

El pànic s'havia apoderat d'ella, però per sort en Sutge va tenir una idea.

—Doncs crideu pel forat de la bústia abans que truqui! —va contestar el fantasma.

La nena va obrir la trampa de metall i va cridar:

—Ei, hola!

Les passes es van aturar i una figura es va ajupir davant la porta. L'únic que la Stella va poder veure van ser un parell d'ulls ferotges que la miraven pel forat de la bústia.

—Bon dia, senyoreta —va dir la veu, profunda i rogallosa—. Sóc el detectiu Strauss de Scotland Yard. —L'home va ensenyar la placa de policia pel forat—. I vostè és...?

—Lady Stella Saxby —va respondre la nena.

—Ah, sí. El meu col·lega m'ho ha dit per telèfon. He de dir que no sembla pas una lady! —es va mofar—. Sembla més aviat una mena de... pilleta.

—Sento molt no haver-me pogut rentar ni canviar, però estava tancada en una carbonera.

—De veritat?

De sobte, el to de l'home es va tornar suspicaç.

—És clar que és veritat. No menteixo! —va respondre la nena, per bé que de seguida es va penedir d'haver-ho dit perquè feia que semblés que sí que mentia—. Moltes gràcies per venir. No puc dir-li fins a quin punt m'alegro que sigui aquí. Però ara que ja ha arribat, no sé ben bé per on començar. —La ment li anava a mil per hora, i les paraules li sortien precipitadament—. La qüestió és que em vaig despertar del coma i la meva tieta Alberta em va dir...

El detectiu va estossegar de manera teatral.

—Ehem, no creu que fóra millor que li prengués declaració cara a cara, senyoreta?

—D'això, sí, és clar, detectiu Strauss, però...

—Sí?

Semblava que l'home començava a estar una mica fart de la situació.

—Bé, és que no tinc la clau de la porta principal.

—No té la clau? —va roncar el detectiu.

—Sí, vull dir, no. Vull dir que no, no la tinc. Ho sento moltíssim, senyor. La tenia, però la gran òliba de les muntanyes bavareses de la meva tieta me la va prendre.

El detectiu va fer una rialleta i va sospirar.

—Amb tot el respecte, senyoreta, la seva història

s'està tornant cada cop més ridícula! —Els ulls van mirar amenaçadorament els de la Stella a través de la bústia—. Veig que només es tracta d'una altra moco-sa amb una imaginació desbordant. Fer perdre el temps a la policia és un delicte greu!

La Stella es va girar cap a en Sutge per-què l'ajudés. Ell li va oferir el millor somriure de suport que va trobar. Però no gosava dir al detectiu que el fantasma d'un escura-xemene-ies l'estava ajudant. Si deia una cosa així, segur que pensaria que estava BOJA.

—No li estic fent perdre el temps, senyor Strauss —va suplicar la nena.

—Detectiu Strauss, senyoreta! —la va corregir ell.

—Detectiu Strauss. Ho sento.

—Podeu obrir la porta del garatge —va suggerir en Sutge.

—Ah, sí, gràcies, Sutge —va respondre ella sense pensar-hi.

—Amb qui caram està parlant, senyoreta? —va voler saber el detectiu.

—Amb... amb ningú —va barbotejar la Stella—. Vull dir, amb mi mateixa.

—Sempre parla amb si mateixa? És un dels primers indicadors que t'estàs tornant boig.

—D'això... no, no! Mai! — va respondre ella—. Bé... vull dir, de vegades. En realitat, només ara. Aquest cop i prou!

—Si em disculpa, senyoreta, aniré passant! —va dir abruptament el detectiu, i es va girar per marxar.

—NO! NO MARXI! SISPLAU! —va pregar la Stella, cridant a través de la bústia—. Doni la volta fins a les portes del garatge, són al final de la casa, a mà esquerra. Des d'allà podré fer-lo entrar a la casa.

—Si es tracta d'una altra de les seves ximpleries, em veuré obligat a arrestar-la.

—No, no, li prometo que no és cap ximpleria! —va suplicar la noia.

—Això espero —va respondre el detectiu en un to molt greu.

21

Un thriller criminal

Amb quatre gambades, el detectiu va donar la volta al Rolls Royce destrossat. Ara la Stella el va poder observar millor. L'Strauss era un home gros, duia ulleres de muntura gruixuda i una mata de cabells negres i arrissats. Sobre el llavi superior tenia un bigoti espès, com una eruga peluda. Realment semblava un detectiu, i podria haver sortit directament d'un thriller criminal. Un impermeable llarg, marró i arrugat li cobria un vestit gris encara més arrugat, que semblava com a mínim una talla més petit. L'equipament anava coronat amb la peça favorita dels detectius: un barret de feltre marró.

La Stella va contemplar com l'home inspeccionava els danys i feia anotacions il·legibles a la seva llibreta. Es va veure reflectida en una de les finestres del Rolls que no estava trencada, i gairebé no es va reconèixer. Feia una fila horrible. Era vergonyós mostrar-se descalça i amb una camisa de dormir estripada i rebregada davant d'un foraster, amb la cara i els cabells plens de polsim de carbó. No era estrany que el detectiu l'hagués pres per una pilleta. Certament, ara mateix no semblava pas la filla d'un lord i d'una lady, ni una lady a dreta llei.

Mentre la nena mostrava el detectiu el cotxe masegat, en Sutge havia marxat xemeneia amunt amb la missió d'assegurar-se que la tieta Alberta continuava dormint a la seva habitació. Tan aviat com es despertés, posaria en pràctica una altra de les seves entremaliadures fantasmals. Qualsevol cosa per impedir que la dona malvada s'assabentés de la visita del detectiu. De moment. Si la Stella aconseguia convèncer l'Strauss que la seva tieta era la responsable de la mort dels seus pares, res els impediria córrer escales amunt i detenir-la allà mateix. Fins i tot podia posar-li les manilles mentre dormia!

La nena va observar en silenci el detectiu, que obria el capó trencat del Rolls Royce i inspeccionava el motor, mentre donava uns copets amb el bolígraf a diversos punts. Tot seguit va xutar totes les rodes amb el peu, i es va agenollar per mirar la part inferior del vehicle. La Stella no estava segura que tot allò servís d'alguna cosa, però suposava que, ja que l'Strauss era detectiu, devia saber el que feia. Per fi, l'home es va posar dempeus i va anunciar:

—Bé, senyoreta, després d'una inspecció rigorosa del motor del vehicle, puc concloure que senzilla-

ment va ser un tràgic accident. Ara, si em disculpa, aniré passant cap a Scotland Yard.

—No va ser cap accident! —va declarar la nena.

—I com ho sap vostè, això?

El detectiu va posar els ulls en blanc.

—Perquè crec que el meu pare va ser enverinat!

Això va fer que l'Strauss s'aturés en sec.

—Enverinat, diu?

—Sí..., sí —va barbotejar la nena. La Stella n'estava segura, però tot i així el fet de dir-ho en veu alta l'afectava molt.

El detectiu es va abaixar les ulleres i va mirar fixament els ulls de la Stella per damunt de la muntura. Era evident que havia aconseguit captar la seva atenció.

—Senyoreta, vostè i jo hem de seure una estoneta perquè m'expliqui absolutament tot el que sap.

22

L'ombra del dubte

Uns minuts més tard, tots dos estaven asseguts cara a cara a l'enorme biblioteca de Saxby Hall. Les cames de l'Strauss penjaven del sofà: eren massa curtes perquè els peus arribessin a la catifa. La Stella va anar de puntetes fins a la porta i la va tancar tan silenciosament com va poder. No volia despertar la seva tieta, que encara dormia al pis de dalt.

—El que ha de recordar, senyoreta —va dir el detectiu a la Stella—, és que aquest cas va despertar un enorme interès entre l'opinió pública. Uns aristòcrates que perden la vida en un accident de trànsit. Va sortir a la portada de tots els diaris.

La Stella no havia pensat en aquest detall. Devia haver estat una història ben truculenta.

—Per descomptat, com passa amb qualsevol accident fatal, hi va haver una investigació policial molt completa a càrrec dels millors detectius de Scotland Yard.

—De debò?

—Jo en dono fe, senyoreta. I després d'estudiar totes les proves i d'interrogar tots els testimonis, un equip dels millors detectius de la policia d'aquest país va concloure que no hi havia absolutament cap indici sospitós.

—Van dir que només havia estat un accident? —va preguntar la Stella. El detectiu era increïblement convincent, i a poc a poc es va anar inclinant per la seva opinió.

—Sí! En efecte, senyoreta. No hi va haver ombra de dubte. Ni tan sols l'ombra d'una ombra d'un dubte. O fins i tot l'ombra d'una ombra d'una ombra d'un dubte. I sap quina va ser la persona que va sortir com la gran heroïna de tota aquesta història?

—No?

—La seva bella tieta Alberta.

La nena no se'n sabia avenir. Especialment del fet que algú descrigués la seva tieta com a «bella».

—Va ser la primera d'arribar a l'escenari del crim, vull dir de l'accident.

La nena no en tenia ni idea.

—Ah sí?

Just en aquell moment, la porta de la biblioteca es va obrir a poc a poc. La Stella va fer un bot a la cadira. Que potser era la tieta Alberta?

Quan la porta es va haver obert del tot, va aparèixer en Gibbon. L'ancià majordom va entrar a la sala. Duia la safata de plata i al damunt un parell de sabatilles en flames.

—Els seus crespells torrats, Sa Altesa Reial! —va anunciar amb una reverència—. Permeteu-me que us els deixi sobre la taula, senyor.

Dit això, en Gibbon, sense voler, va deixar caure la safata a terra, i les sabatilles amb mantega van sortir volant. Una va aterrar a la falda del detectiu. Com que estava roent, l'home va fer una ganyota de dolor.

—Ai!

Tan ràpid com va poder, el detectiu la va treure de la falda i la va llançar a terra.

Però en Gibbon encara no havia acabat.

—Si necessiteu alguna altra cosa, senyor, feu sonar aquesta campana —va dir, traient-se de la butxaca de la levita tronada un temporitzador per als ous. Va deixar meticulosament l'aparell damunt del cap del detectiu—. Jo seré a la biblioteca.

Aleshores el majordom va fer una reverència i va sortir de la biblioteca, tancant la porta darrere seu.

L'Strauss, irritat, es va treure el temporitzador del cap, i el va llançar a terra.

—No li faci cas, detectiu —va dir la nena—. És el nostre majordom, en Gibbon.

—Aquest home és un imbècil! L'haurien d'agafar i fuetejar!*

La Stella sabia que en Gibbon no era pas el millor majordom del món. De fet, era possible que fos el pitjor. Tot i així, el que acabava de dir l'Strauss era increïblement cruel.

—Per on anàvem? —va continuar el detectiu, clarament irritat per la interrupció.

—D'això... M'estava dient que la meva tieta va ser la primera persona que va arribar al lloc de l'accident —va apuntar la nena.

—Ah, sí, i tant, senyoreta. I aquesta dona meravellosa va intentar fer reviure desesperadament el seu pare i la seva mare.

—De veritat?

La nena estava astorada.

---

* No es refereix a menjar-se un fuet. Assotar. Ja ho sé, el detectiu es va passar una mica de la ratlla.

—Sí, senyoreta. Per desgràcia, no va poder fer-hi res. Tots van morir a l'acte.

La Stella es va esgarrifar només de pensar-hi.

—Però l'Alberta va aconseguir salvar-la a vostè. Va arriscar la seva pròpia vida per treure-la del cotxe en flames.

La nena va necessitar un instant per assumir-ho.

—Ho sento —va murmurar—. Ho sento molt, no en tenia ni idea.

Semblava que el detectiu sabia moltes més coses del que havia passat que no pas ella. És clar que l'accident havia deixat en coma la Stella, per tant no era estrany. Però ara començava a sentir-se culpable d'haver acusat la seva tieta.

—Senyoreta, vostè té molta sort de tenir una tieta com l'Alberta. Una dona tan amable i afectuosa. Bella. Amb talent. La millor tieta del món. És clar que vostè era a l'hospital en el moment del funeral, però ha de saber que la seva tieta va parlar amb gran emoció, a l'església. Es veia molt clar que estimava el seu pobre germà i la seva esposa de tot cor. La senyoreta

Alberta fins i tot va cantar una peça preciosa d'òpera en alemany per a tots els presents desolats, mentre els dos fèretres sortien. Té una veu de cantant veritablement remarcable.

«Com?!», va pensar la nena. La Stella havia tingut la mala sort de sentir cantar moltes vegades la seva tieta al llarg dels anys. Sonava com si escorxessis un gat.

—Va fer saltar les llàgrimes de totes les persones que érem a l'església —va continuar el detectiu.

—Segurament perquè cantava molt malament! —va contestar la nena.

—Hauria d'avergonyir-se de dir una cosa així —va bordar el detectiu—. COM S'ATREVEIX?!

La ira de l'home va espantar la nena, que es va afanyar a disculpar-se.

—No ho hauria d'haver dit.

—Hauria d'avergonyir-se de vostè mateixa, senyoreta —va cridar—.

ÉS UNA CANTANT D'ÒPERA DE CLASSE MUNDIAL!

La Stella tenia ganes de posar-se a plorar. Allò era una esbroncada en tota regla.

—Ho sento —va murmurar.

—Això espero! I per l'amor de Déu, no ploriquegi. No suporto les mocoses que ploriquegen. Per on anava...? Ah, sí. Dos mesos després del funeral, la senyoreta Alberta va sol·licitar la seva alta de l'hospital. Sabia que ningú podria cuidar-la millor que la seva tieta preferida.

Malgrat la convicció de les paraules del detectiu, la Stella no estava convençuda del que deia.

—Aleshores, per què em va tancar a la carbonera?

Va semblar que l'Strauss dubtava un instant.

—Bé, suposo que si realment la va posar allà, a vostè —mirava de triar les paraules amb molt de compte—, devia ser pel seu bé. No hi ha dubte que vostè estava commocionada després de saber que els seus pares havien mort en un accident. Un estat de xoc pot fer coses molt estranyes a les persones. Potser, volia fugir de casa, vostè, senyoreta... M'equivoco?

No hi havia dubte que l'Strauss era un bon detectiu. Semblava capaç de deduir qualsevol cosa. Aquell home fins coneixia les respostes de les preguntes que encara no havia formulat.

—Sí... sí —va reconèixer la Stella—. Vaig intentar fugir.

—Ja m'ho pensava. I amb aquest clima tan terrible, podria haver mort de fred. I això no voldríem que passés, oi que no, senyoreta?

—No —va respondre la nena.

—Encara no —va murmurar el detectiu a mitja veu.

—Què ha dit? —va voler saber la Stella.

—No res —va respondre l'Strauss, amb un posat innocent.

23

Joc brut

—Em sap greu, detectiu —va dir la Stella, que seia davant seu a la biblioteca—, però per molt que ho intento no m'acabo de creure que fos un accident. Sospito que podria ser... —va dubtar una mica abans de pronunciar la paraula— ...un assassinat!

—Un assassinat, diu? —va exclamar l'Strauss, amb desaprovació—. I què li fa pensar, a vostè, joveneta, que hi va haver joc brut?

La Stella va respirar fondo i va ordenar les idees.

—Miri, detectiu Strauss. La meva tieta va preparar el te el matí de l'accident.

—Quina cosa tan amable i amorosa per part seva.

—Sí! I completament inusual en el seu cas! —va etzibar la nena.

El detectiu es va tustar el bigoti exuberant.

—M'interessaria molt saber com és capaç de dir que la seva tieta va assassinar els seus pares amb una tassa de te. Ha ha ha!

L'home es moria de riure només de pensar-hi.

La nena va dubtar un moment abans de respondre:

—Crec que abans havia afegit verí al te.

El detectiu es va quedar un moment en silenci. Va

dirigir a la nena una mirada freda i dura, que li va fer venir esgarrifances.

—Ho pensa o ho sap? —va exigir.

—Ho sé. Ho penso. Em penso que ho sé...

La nena s'estava ensorrant. Semblava que fos ella la interrogada.

—Senyoreta, no cal que li recordi que aquesta és una acusació extremament greu.

Novament, la nena va començar a dubtar del que deia. La seva versió dels fets es va començar a desembullar com un cabdell que cau a terra. Tot i així, la Stella estava completament segura d'una cosa molt important.

—He llegit moltes històries de misteri i assassinats —va començar.

—Ah, aleshores és d'aquí, d'on venen totes aquestes ximpleries?! —va roncar el detectiu.

—He après que, en la majoria d'assassinats, l'assassí té un motiu. Sovint és així com es resol el crim. I la meva tieta tenia un motiu molt poderós.

—Un motiu, senyoreta! —va riure l'Strauss—.

M'acabarà traient la feina! Aleshores, es pot saber quin és aquest motiu que tenia la seva tieta?

La nena va respirar fondo abans de contestar.

—Vol quedar-se la casa per a ella sola. Sempre ho ha volgut. Des que era petita.

—Vaja, aleshores és això, senyoreta? —Ara el to del detectiu era amargament sarcàstic.

—Sí! —La Stella n'estava segura—. No para de dir-me que li he cedir les escriptures de Saxby Hall. Per sort, no les troba per enlloc.

L'Strauss va negar amb el cap.

—Probablement la intenció de la seva tieta només és ajudar-la a vostè amb tota la paperassa, senyoreta. —El detectiu tenia una resposta per a tot. Va dubtar un instant, i llavors va preguntar a la Stella—: És clar que les escriptures serien un prova molt útil, en aquest cas. Per casualitat no sap on estan amagades, oi?

—No.

Sense voler, els ulls de la nena es van desviar cap a la prestatgeria de la biblioteca on sabia que hi havia *El llibre de les regles del joc de la puça*. La Stella no se'n va poder estar. No estava acostumada a mentir, i ara estava segura que havia revelat el lloc on el seu pare havia amagat les escriptures. No es refiava del detectiu Strauss. Si s'assabentava d'on eren les escriptures, era perfectament capaç de donar-les a la tieta Alberta. De manera sospitosa, l'home sempre semblava posar-se de part de la seva tieta.

El detectiu va somriure.

—Aleshores, per què ha mirat cap a la prestatgeria, quan ha dit «no», senyoreta?

—No ho he fet pas! —va protestar la nena, sense poder resistir-se a tornar a mirar el llibre.

El detectiu sabia detectar una mentida quan la sentia. Va saltar del sofà i es va dirigir als prestatges plens de llibres.

—Què fa? —va preguntar la Stella.

—Només tafanejo els llibres que teniu a Saxby Hall —va respondre el detectiu.

—Potser voldria acompanyar-me a l'estudi del meu pare —va dir la Stella, intentant fer sortir amablement l'home de la biblioteca.

—No cal, senyoreta. Vostè vagi a la cuina i porti'm una copa del millor xerès que tingui.

—Ara? —va dir la Stella, empassant-se la saliva.

—Sí. Ara! —va respondre l'Strauss, amb fermesa.

I dit això, va agafar la nena pel braç i la va arrossegar fins a la porta del passadís, que va tancar darrere seu amb un sonor...

PLAM!

24

Mussols dissecats

Al pis de dalt, al dormitori de la tieta Alberta, en Sutge esperava arraulit en un racó. El fantasma havia entrat a l'habitació baixant per la xemeneia, perquè la dona sempre tancava la porta amb clau durant la nit. La missió d'en Sutge era vigilar l'Alberta mentre dormia i avisar la Stella quan comencés a bellugar-se. Si es llevava i enxampava la seva neboda parlant amb un detectiu, la situació podia empitjorar molt.

Una enorme pintura a l'oli de la tieta de la Stella i en Wagner, emmarcada en or, presidia l'habitació. Les taules i els plints que rodejaven el gran llit estaven plenes de recipients de vidres amb mussols dissecats a dintre. Mussols de tots els colors i mides conegudes:

- El mussol miniatura japonès.

- El mussol borni de l'Himàlaia, o mussol ciclop, que hom pensava que només existia en les llegendes.

- L'òliba amfíbia de bec llarg de l'Antàrtida, que pot baixar a centenars de metres de profunditat per atrapar els peixos.

- El mussol espinós, o *Mussolius espinonsis*, per dir-ne el nom llatí adequat.

- El mig mussol/mig porc «garrissol».

- El mussol d'ales petites de Fiji, que no pot volar, o *Mussolius minialadus*.

- El mussol bessó o mussol de dos caps.

- L'òliba desplomada gal·lesa, *Mussolius calborotus.*

- El mussol trípode, de tres potes.

- El mussol de l'Àrtic, que no s'ha de confondre amb un braç de gitano.*

Era una estampa profundament sinistra, fins i tot per a un fantasma, veure totes aquelles criatures magnífiques suspeses en una mort eterna. Les peixeres també mostraven diverses escenes forestals, i tots

---

* S'han donat casos de cambrers durs d'orella que per postres han dut als clients un mussol de l'Àrtic. No són gaire saborosos. Llevat que els suquis amb crema.

els ocells estaven col·locats en postures dramàtiques. N'hi havia un posat sobre una branca, amb les ales esteses i a punt de volar. Un altre duia un ratolí dissecat a les urpes. Altres competien per veure quin era més estrafolari.

- Un mussol tocant el xilòfon.

- Un que duia patins de gel.

- Dos mussols disputant un partit de bàdminton.

- Mussols fent esgrima.

- Dos mussols en un tàndem.

- Un mussol amb *Lederhosen* ballant una dansa tradicional bavaresa per a la festa de la cervesa.

- Un mussol en miniatura vestit de joquei muntat en un poni.

- Un mussol vestit com el Baró Roig, l'as de l'aviació alemany de la Primera Guerra Mundial.

- Una parella de mussols fent balls de saló.

- Un mussol fent *breakdance*. Aquest era especialment peculiar, perquè el *breakdance* no es va inventar fins al final dels anys setanta.

Qualsevol persona que hagués entrat en el dormitori de la tieta Alberta hauria convingut que aquella dona estava completament tarumba. De fet, més que tarumba, que estava més aviat «retarumba» o fins i tot «recontratarumba».*

Des de l'extrem més allunyat de l'habitació, en Sutge podia veure una figura ficada sota les mantes del gegantí llit de barrots. De sota els llençols sortia un cap, que encara duia el barret de caçador de cérvols que distingia la dona. El roncs eren tan forts que tot el mobiliari tremolava.

* O «ultrarecontratarumba».

—ZZzzzzzzzz…! ZZzzzzz…!

Els ulls d'en Sutge es van passejar per l'habitació i van tornar al lloc on dormia la figura. Aleshores, es va adonar d'una cosa molt estranya, que sortia per la part inferior de les mantes. En comptes dels peus de la dona, hi sortia un parell d'urpes.

De puntetes, en Sutge es va acostar al llit. Lentament, amb molt de compte, va alçar la manta, i va deixar al descobert una bèstia plomada i enorme.

Qui jeia al llit no era pas la tieta Alberta.

Era en Wagner!

25

Mossegant l'aire

En Sutge va xisclar i amb el crit va despertar l'oce-
llot.

Si hi ha una cosa que cal saber sobre la gran òliba
de les muntanyes bavareses, és que aquesta espècie
no té una bona despertada. En absolut. Per naturale-
sa, són criatures nocturnes, i quan es fiquen al llit,
prefereixen dormitar fins a la tarda, mandrejar una
mica, prendre un esmorzar molt tardà o un esmorzar
dinar, netejar-se una estona les plomes amb el bec,
assabentar-se de les darreres notícies dels mussols,
tot això abans de començar a fer el que hagin de fer.

Si desperteu una gran òliba de les muntanyes
bavareses abans del migdia, us esteu arriscant de va-
lent.

Això era precisament el que acabava de fer el noi infortunat.

L'ocell va grallar violentament a en Sutge i va saltar del llit. Durant una estona es va dedicar a anar fent saltirons, intentant picotejar picotejar picotejar el petit fantasma. Després, l'ocell va batre les ales enormes i es va enlairar. Va encalçar el noi per tota l'habitació de l'Alberta, esgaripant i intentant aferrar-lo amb les urpes afilades.

—AAAAAAHHH! —cridava en Sutge, mentre intentava desesperadament foragitar l'ocell. Va córrer cap a la porta. Estava tancada amb clau.

L'òliba picotejava en Sutge d'una manera encara més ferotge amb el seu bec en forma de navalla.

Com un ratolí atrapat dins d'una casa, el noi va resseguir les vores de l'habitació. No li va servir de res, perquè l'ocell s'hi va llançar en picat des del sostre. Desesperadament, en Sutge va intentar amagar-se darrere dels aparadors de vidre, però el mussol els va apartar amb les ales poderoses. Molts dels mussols dissecats van travessar els vidres i van caure estrepitosament a terra. Era una visió macabra. Aviat el dormitori de la tieta Alberta es va convertir en un desordre de peixeres trencades, vidres esmicolats i mussols dissecats vestits de manera estrafolària.

Frenèticament, en Sutge va allargar la mà cap a l'objecte més proper que va trobar. Va resultar que era un joc de la puça. El va alçar per damunt del seu cap i el va fer petar contra el rostre d'on Wagner, fent volar tot de discos multicolors.

Però la gran òliba el va continuar atacant.

En Sutge havia d'escapar. L'única sortida era fugir per on havia entrat. El noi es va llançar cap a la llar de foc, i va començar a enfilar-se xemeneia amunt.

—Aaaargh! —va cridar.

L'òliba havia enxampat el peu d'en Sutge amb el bec i l'estirava cap a baix. Amb l'altre peu, en Sutge va etzibar una coça al cap de l'ocell, que va obrir el bec per grallar.

GRALL!

Aleshores en Sutge va pujar un altre cop per la xemeneia. Per un moment es va sentir salvat. Aquell ocellot del dimoni l'havia espantat d'allò més. Però ara ja no podria seguir-lo, oi?

Estava equivocat.

En Sutge va mirar cap a baix.

Pujant la xemeneia com un míssil, va veure en Wagner amb els ulls resplendents en la foscor. El bec de l'ocell mossegava l'aire amb ferocitat. Volia fer miques el noi.

—Noooo...! —va cridar en Sutge, i el seu crit va ressonar per totes les xemeneies i els túnels de la casa.

26

Amenaça mortal

Just en el moment que la Stella estava servint al detectiu una copa del millor xerès que havia trobat a la cuina, l'home hi va entrar amb un gran somriure que treia el cap sota el bigoti.

Quan la nena es va girar i el va veure dempeus al llindar de la porta, va tenir un ensurt tan gran que li va caure el decantador de xerès.

CRAIX!

L'estri va anar a fer companyia a la resta de la vaixella trencada que estava escampada pel terra de la cuina.

—Nena estúpida! —va dir ell.

—Ho sento, però m'ha espantat! —va respondre ella—. Em pensava que encara era a la biblioteca.

—No, no, ja he enllestit el que hi havia de fer.

Havia trobat les escriptures, el detectiu Strauss? La Stella no en podia estar segura. Ara havia de triar les paraules amb la màxima precaució. I va dir:

—Aleshores, hi ha trobat alguna cosa interessant?

—No, senyoreta. Ni una salsitxa.

Deia la veritat, el detectiu? Per ara, la Stella l'havia de creure.

Va abaixar la vista cap als bocins de vaixella trencada que s'acumulaven al terra de la cuina.

—La tetera ha de ser aquí. Està feta miques, però si en trobo algun trosset, la pot portar al laboratori de Scotland Yard i cercar-hi els rastres de verí. —El detectiu va negar amb el cap mentre la nena es posava de genolls i començava a buscar entre les miques—. Ha d'estar per aquí!

—De veritat que no tinc temps per aquestes foteses, senyoreta —va bramar el detectiu.

—Em pot ajudar a buscar la tetera, sisplau?

—No, no puc, senyoreta! —va respondre ell, empipat—. Aquesta investigació s'està convertint en una farsa!

La nena s'esforçava per trobar algun bocí de la tetera. Ara se sentia idiota per haver deixat que en Sutge destrossés la millor prova que tenia.

—Si no trobem la tetera, potser encara podrem trobar el verí! La meva tieta el devia tenir amagat en algun lloc de la cuina! Segurament el devia abocar des d'un recipient directament a la tetera! —va exclamar.

La Stella es va afanyar cap al rebost, i va remenar entre els centenars de pots i llaunes que hi havia.

L'Strauss la mirava cansadament, i els seus sospirs d'impaciència feien que la nena dubtés d'ella mateixa i que la cerca li semblés completament inútil. La Stella aviat va haver buidat cada llau-na, pot i capsa de la cuina, però no va trobar res amb mal aspecte ni d'olor sospitosa. L'únic que va desenterrar va ser una galeta florida, les restes polsoses d'unes farinetes i una llesca petita d'un pastís de fruita oblidat molt temps enrere. La llesca del pastís tenia un florit blanc a la part superior, i un cuc s'hi remenava i treia el cap. Davant la mirada horroritzada de la nena, l'home gros va agafar el bocí i el va engolir d'una sola tirada.

—Feia estona que esperava que m'oferís una mica de pastís! —va murmurar l'Strauss, amb la boca plena—. I bé, senyoreta, ja s'ha acabat aquest joc ridícul?

—No! I no és cap joc! —va protestar—. M'ha de creure, detectiu. La tieta Alberta ens devia enverinar a tots. N'estic segura. Deixi que torni a repassar aquestes llaunes.

El detectiu va sospirar de manera teatral i va mirar teatralment el seu rellotge de butxaca d'or.

—Per molt que m'agradaria veure com recull la cuina, he d'haver tornat a Scotland Yard abans que es desencadeni una altra tempesta de neu. Hi ha afers policials de molta importància que em demanen. Crims reals per resoldre, criminals reals per enxampar. No invencions producte de la imaginació desbordant d'una nena beneita.

—Pe... pe... però... —va protestar la Stella.

—I, és clar, hauré de preparar l'informe tan aviat com torni a Scotland Yard. Per això necessito que em signi aquesta declaració que he preparat.

—Una declaració?

—Sí, senyoreta, és un procediment policial habitual, només cal signi i posi la data al final d'aquesta declaració.

El detectiu li va posar al davant un document amb pinta de ser oficial, però llavors el va girar tan ràpidament que li va resultar impossible llegir-lo.

—Què hi diu?

El pare de la Stella sempre li havia dit que no signés res que no hagués llegit atentament abans.

—Què vol dir «què hi diu»? S'hi fa un resum de totes les proves, senyoreta. I vostè hi reconeix que ha retirat l'al·legació perquè s'ha adonat que tot plegat és un gran disbarat!

—No és cap disbarat!
—És un disbarat!
—Cap disbarat!
—Disbarat!
—No!
—Sí!
—NO!
—SÍ!

Si la Stella no aturava aquell intercanvi de paraules, podia continuar fins a la nit.

—Tot plegat s'està tornant molt infantil, detectiu Strauss. A més, abans de decidir si el signo o no, necessito llegir-lo.

La cara del detectiu es va començar a posar vermella, i va treure de la butxaca una ploma gruixuda i negra. Amb cada paraula que pronunciava, l'home amenaçava la nena amb la punta daurada i afilada de la ploma. La Stella es va empassar la saliva. Tenia por que l'apunyalés amb la ploma.

—SIG-NI LA DE-CLA-RA-CIÓ.

—De... de... deixi-me-la llegir primer!

El detectiu va fer una pausa i va somriure, disposat a intentar una altra tàctica.

—Ja la hi llegeixo jo, no s'amoïni.

I aleshores va sostenir el full de paper tan a prop de la cara com va poder, de manera que la Stella no podia veure el que hi havia escrit, i va procedir a llegir en veu alta.

—Per la present, jo, lady Stella Saxby, faig la declaració policial següent al detectiu Strauss, amb data de 22 de desembre de 1933, d'acord amb la llei 92, paràgraf 33b. Els meus pares, lord i lady ta-ta-ta... —El detectiu llegia cada cop més de pressa—... van morir en un accident de circulació, la ta-ta-ta. Per la present al·lego que l'accident va ser provocat per la ingestió d'unes llavors d'una planta anomenada mort imminent que hi havia en el te... ta-ta-ta... ta-ta-ta...

La nena es va quedar mirant fixament el detectiu.

—Què acaba de dir?

L'home va alçar la vista del full de paper i va mirar la nena.

—Què vol dir «què acabo de dir»? —va demanar.

La nena tenia els ulls molt oberts.

—Ha dit alguna cosa d'unes llavors de la planta mort imminent que hi havia en el te.

—Jo he dit això?

El detectiu Strauss semblava profundament trasbalsat.

—Sí! Sí que ho ha dit! —La Stella sabia que havia trobat un fil. Un fil molt important—. I jo no n'he parlat en cap moment. Ni una sola vegada!

—Em sembla que no he dit pas res semblant, senyoreta.

—Sí que ho ha dit! Ara ja no se'n pot desdir!

Arribat a aquest punt, el rostre de l'home va patir un atac de tots els tics que es poden tenir.

27

La batalla de la sala de billar

Per bé que en Sutge s'enfilava per la xemeneia a tota velocitat, en Wagner el seguia a molt poca distància. El mussol mossegava de manera salvatge els talons del fantasma.

En Sutge feia dècades que rondava per Saxby Hall i coneixia cada racó i cada escletxa de l'enorme xarxa de xemeneies que pujaven i baixaven per les parets de la casa. En el punt on es trobaven dos túnels, el fantasma va saltar a un costat i es va llançar cap avall, i va anar a aterrar a la llar de foc de la sala de billar.

Aquell era el lloc on una llarga llista de lords Saxby havien entretingut els seus convidats masculins després de sopar. Hi jugaven a billar, fumaven els millors cigars i bevien whisky en gots de vidre esmerilat. Feia molts anys que ningú la feia servir. L'enorme taula de billar de fusta continuava ocupant, orgullosa, el centre de l'estança. Però el tapet de color verd llampant estava ple de pols.

En Sutge va sortir trontollant de la xemeneia, va travessar la sala de quatre grapes i es va amagar darrere d'una de les potes gruixudes de fusta de la taula.

Un moment més tard, en Wagner va sortir disparat de la xemeneia, seguit per un gran núvol de polsim de carbó. L'ocellot va batre les ales gegantines per aixecar-lo i es va posar un ins-  tant sobre la catifa. Va donar una ullada periscòpica a l'estança i després va abaixar el cap i va inspeccionar el rastre de les petjades negres de peus i mans que havien quedat clarament marcades sobre la catifa de color crema. Començaven a la llar de foc i acabaven en un punt concret sota la taula de billar.

L'ocellot havia localitzat la seva presa.

En Sutge va romandre tan quiet com va poder rere la pota de la taula, en un intent desesperat de no delatar-se. Però el mussol seguia les petites taques de polsim de carbó que en Sutge havia anat deixant, i s'acostava saltant sobre les urpes cap al fantasma, amb lentitud i seguretat.

Per fi, l'ocell va arribar a l'altra banda de la pota de la taula. Glaçat de por, en Sutge podia sentir fins i tot la respiració de l'animal.

El fantasma va alçar la mà fins a la superfície de la taula, i tan silenciosament com va poder, va agafar un tac de billar per defensar-se. Però el tac de fusta va picar amb un soroll sec contra la vora de la taula, i en Wagner va saltar cap a un costat.

El soroll que feia l'ocell era eixordador.

En Sutge va sostenir el tac davant seu, però abans de poder etzibar un cop a en Wagner, el mussol li va arrabassar el pal de les mans, amb el bec. A continuació, el va partir en dos.

Això va permetre que en Sutge s'apartés d'un bot

ESQUAC!

i pugés a la taula. Sobre la taula hi havia una sèrie de boles de colors. Com que havia tingut una vida breu d'escura-xemeneies, en Sutge no sabia per a què servien. Però ara mateix se li acudia una bona manera d'usar-les. Quan el mussol va saltar davant d'ell sobre la taula, estripant el tapet verd amb les urpes afilades, en Sutge va triar una de les boles blanques. Amb totes les seves forces, la va llançar directament contra en Wagner. Els reflexos de l'ocell eren rapidíssims. El mussol va enxampar la bola amb les urpes, i en Sutge es va quedar bocabadat, contemplant com la criatura procedia a esclafar-la lentament.

CRUNTX.

En Wagner la va esmicolar.

El fantasma va saltar de la taula i va sortir disparat cap a la porta. El mussol es va enlairar des de la taula de billar i es va llançar a encalçar-lo. En Sutge tirava tots els objectes que trobava al pas contra l'ocell. Cadires, llibres, quadres, fins i tot una tauleta de cafè. Però l'ocell es limitava a apartar-ho tot a cop d'ala i a estampar-ho a les parets.

ESMAIX!

Per fi, en Sutge va arribar a la porta. A les palpentes, va aconseguir obrir-la. Va mirar cap a enrere. El mussol volava veloçment cap a ell amb el cos allargat, com una bala.

En Sutge, decidit, va tancar la porta darrere seu.

ESLAM!

Al cap d'un segon es va sentir un colossal

CRAIX!

L'ocell s'havia estavellat contra la pesada porta de roure.

Des del passadís, en Sutge es va permetre somriure un instant. Amb la mà sobre el pom de la porta, estava decidit a deixar tancat dins de la sala aquell ocell terrorífic.

CRAIX!

La porta es va sacsejar amb l'impacte.

El fantasma amb prou feines s'ho podia creure.

El mussol estava intentant sortir a força d'envestides.

CRAIX!

En Sutge va sentir les ales de l'ocell que tornaven a batre en el moment que s'enlairava de nou. No hi havia dubte que estava fent cercles per la sala de billar per provar un nou intent.

En Sutge mantenia fermament la mà sobre el pom.

CRAIX!

Aquesta vegada, la pesada porta de fusta va cedir amb l'impacte.

En Sutge va decidir sortir corrents. Mentre fugia pel passadís, la gran òliba de les muntanyes bavareses va envestir la porta.

BUUUM!

Fragments de fusta van explotar pels aires...

ESMAIX!

... mentre en Wagner picava sorollosament contra el terra. El mussol va romandre immòbil. Havia perdut el coneixement a causa del cop? L'ocell semblava estabornit.

El fantasma va recórrer de puntetes el passadís i va desaparèixer per la primera habitació que va trobar, tancant silenciosament la porta darrere seu. Era la cambra dels nens. Un vell cavall de fusta romania immòbil al costat de la finestra, i hi havia un enorme tren elèctric escampat pel terra. També hi havia llibres grossos amb molts dibuixos, ossets de peluix, nines, soldadets de plom, una capsa enorme de bales de vidre, cotxes de joguina, fins i tot un gos amb rodes. De molt, era l'habitació favorita d'en Sutge. Ni ell ni els altres nens de la casa d'orfes havien tingut mai una joguina, i per tant aquell lloc li semblava màgic.

Però per molt que volgués quedar-s'hi a jugar, havia de seguir endavant. Es va dirigir a la llar de foc i es va enfilar per la xemeneia.

De nou en la foscor dels túnels, va saber que havia de trobar la seva amiga Stella. Havia d'avisar-la. Al capdavall, la tieta Alberta no havia passat tota aquella estona dormint en el seu llit.

De sobte, va endevinar exactament on era la dona. I al moment va saber que la nena corria un perill terrible.

28

A recer de la foscor

Us agradaria saber què hi cultivava al seu hivernacle, la tieta Alberta?

Ja m'ho pensava.

L'hivernacle es trobava al final del prat de gespa, llarg i amb panxa, de Saxby Hall. L'Alberta hi havia pintat tots els vidres de les finestres de negre, i hi havia posat un enorme cadenat de metall. Era un territori prohibit per a la Stella i per a la resta de la família. Absolutament ningú no hi podia entrar, ni tan sols en Wagner. Una vegada, la petita Stella havia preguntat a la seva tieta com era possible que les plantes poguessin créixer sense llum del sol. La tieta li va dir que «les seves plantes només creixen en la foscor». Això només va servir perquè la nena sentís encara més curiositat per saber què hi amagava, però l'Alberta vigilava gelosament l'hivernacle i la Stella no havia pogut donar-hi mai ni tan sols una ullada d'amagat.

No cal dir que l'Alberta cultivava la planta de la mort imminent, des de feia deu anys esperant el moment precís per fer-ne servir les llavors verinoses. No era més que  una de les moltes plantes poc comunes que l'Alberta cultivava en la foscor d'ençà de dècades. Eren plantes secretes que molt poques persones al món coneixien i totes tan mortíferes que l'Alberta les havia de cuidar amb uns guants gruixuts de cuir posats.

Vet aquí algunes de les plantes que l'Alberta cultivava en el seu hivernacle:

- La rosa negra. Eren precioses de veure, però compte a punxar-te amb una de les espines. Contenien un verí tan fort que era capaç de matar un elefant.

- La fruita fatal. Aquests fruits de color porpra et mossegaven a tu abans que tu poguessis mossegar-los a ells.

 - L'arbust de la perdició. Diu la llegenda que les branques d'aquest arbust podien escanyar un home fins a matar-lo.

- Falgueres vudú. Aquestes plantes es cremaven en els rituals màgics de l'antiguitat per cometre actes malvats.

 - La molsa de la bruixa. Una molsa d'olor repugnant que podia provocar un ofec sever i fins i tot la mort.

- Liles murmuradores. Conegu-des perquè malparlaven de tu tan aviat com giraves l'esquena, i a poc a poc t'anaven tornant boig.

- Coníferes reptants. Conegudes per-què es bellugaven en la foscor, abans de saltar-te al damunt.

- Hortènsies hipnòtiques. Podien fer-te perdre pes o fer-te deixar de fumar, però també eren capaces d'hip-notitzar-te i d'impulsar-te a cometre crims horribles.

- Maduixes de la crueltat. La seva olor tan dolça feia que molta gent pensés que aquestes ma-duixes eren comestibles. Un pe-tit mos et matava a l'acte.

 • Orquídia sibilant. Quan t'ajupies per olorar-la, et ruixava amb el seu verí.

Però tornem a la nostra història. Ara mateix, a la cuina, el detectiu Strauss suava de valent.

L'home havia mencionat la planta de la mort imminent com a part de la declaració policial que proposava a la Stella. Com ho podia saber? La Stella només sospitava que els seus pares havien estat enverinats, però no sabia exactament com. Ara tot començava a prendre forma en el pensament de la nena. Les llavors d'aquesta planta devien ser el que l'Alberta havia posat a la tetera de la família aquell matí infaust. Però això la Stella havia perdut el coneixement. Per això el Rolls Royce s'havia estavellat. Els seus pobres pares no havien tingut cap possibilitat.

Ara el detectiu Strauss s'havia delatat. Sabia més del que deia. Molt, molt més.

Ansiós, l'home oferia la ploma a la nena.

—Signi la declaració aquí baix, senyoreta.

—No! —Ara la Stella estava cada cop més segura de si mateixa—. Com sabia que la meva tieta cultivava plantes estranyes a l'hivernacle?!

S'havia girat la truita. Ara era ella qui interrogava el detectiu!

—Vostè sent coses que no són, senyoreta! Mai he dit res d'una planta de la mort imminent!

—Sí que ho fa fet! —va insistir la Stella.

El detectiu suava com un porc, i el bigoti exuberant estava començant a... desenganxar-se-li. Era evident que la humitat havia afluixat la pega, i ara el bigoti penjava del llavi superior del detectiu.

—Li està caient el bigoti! —va exclamar la nena.

—No sigui absurda, senyoreta! Tot just me l'he deixat créixer aquest matí!

Dit això, l'home li va donar l'esquena i es va arreglar el que fos que s'havia posat sobre el llavi superior. Quan es va tornar a

girar, la Stella va veure que s'havia posat aquella cosa del revés.

—Està capgirat! —va cridar la nena.

Mentre l'home intentava col·locar-se desesperadament els pèls facials falsos, la Stella va aprofitar per arrabassar-li el full de la mà. Hi va clavar una ullada molt ràpida. No era cap informe policial. Eren les escriptures de Saxby Hall! Les mateixes escriptures que la seva tieta terrible necessitava que la seva neboda signés per poder-se quedar definitivament la casa.

—Ets tu! Oi que sí? —va afirmar la nena.

—D'acord, criatura, sí que sóc jo —va roncar la dona malvada arrencant-se les ulleres de muntura gruixuda, que només eren una altra part de la disfressa—. La teva estimada tieta Alberta.

29

Un perruquí fastigós

—És la tieta Alberta! —va exclamar en Sutge, just en el moment que aterrava amb un cop sec a la llar de foc de la cuina i aixecava un núvol negre de polsim de carbó darrere seu.

—Sí! —va respondre la Stella, sense pensar—. Ja ho sé! Li acaba de caure el bigoti.

Els ulls afilats de l'Alberta van escrutar la cambra.

—Amb qui parles, criatura? —va exigir—. Digues! Amb QUI?!

La Stella va seguir la mirada de la seva tieta. La dona esguardava més enllà d'on hi havia el fantasma.

—Amb ningú! —va respondre la nena. A la Stella li interessava desesperadament que la seva arma secreta continués essent secreta.

—Què vols dir «ningú»? —La tieta Alberta tenia cada vegada més sospites—. Has mirat cap allà i has parlat.

Va empènyer la nena contra una cadira i es va encaminar a la llar de foc per inspeccionar la xemeneia. En Sutge es va posar a un costat, amb la boca fermament tancada.

—Hola? —va cridar l'Alberta, túnel amunt.

La paraula va ressonar al llarg de la xemeneia. «Hola Holaa Holaaa.» En sentir l'eco, no es va poder estar de cridar:

—Eco!

L'eco va ressonar amunt i avall.

«Eco eco eco...»

—No hi ha ningú allà dalt! —va dir la nena.

—Aleshores, amb qui parlaves?! —va interrogar la tieta Alberta.

La Stella va haver de pensar de pressa.

—Només estava parlant amb el meu amic imaginari!

La dona va tornar cap on era ella.

—«El meu amic imaginari» —va repetir, burlant-se del to infantil de la seva neboda—. Quina nena tan gran! —Semblava que la tieta Alberta s'ho havia empassat—. Jo fa com a mínim cinc anys que no tinc un amic imaginari! Com es diu?

La Stella va dir el primer nom que li va venir al cap.

—King Kong.

Era el nom d'una pel·lícula que aquell any havia anat a veure al cinema amb el seu pare. No tenia ni idea de per què l'havia escollit.

—I què fa, aquest King Kong? —va preguntar l'Alberta.

—És un mico gegant.

La Stella sabia que sonava molt estúpid, però ara ja era massa tard.

De fet, però, hi ha amics imaginaris de totes les formes i de totes les mides. De vegades els nens en trien de ben estranys:

UNA PRINCESA
DE L'ÈPOCA DELS
TUDOR

UN MARCIÀ

UN DIMONIET

UN FOLLET

UN OSSET DE
PELUIX QUE
PARLA

EL MONSTRE QUE
VIU SOTA EL LLIT

UN DRAC
AMABLE

UN CAVALLER
MEDIEVAL

UN NOI DE
LES CAVERNES

UN CANGUR

UN NINOT
VENTRÍLOC

KING KONG

L'Alberta no se'n sabia avenir que la seva neboda, entre tantes possibilitats, hagués escollit King Kong com a amic imaginari.

—Parles amb un mico gegant! Hauries de començar a espavilar. Quants anys tens, criatura?

—En faré tretze la vigília de Nadal.

—Ah, sí. És clar que sí. Només falten dos dies —va reflexionar l'Alberta—. Per cert, és el mateix amic imaginari amb el qual parlaves ahir a la nit al garatge? —va continuar la tieta.

—Eh... em vas sentir al garatge?

La Stella va sentir una nàusea en pensar que l'havien espiat sense que ella ho sabés.

—I tant! —va exclamar la dona, amb un somriure sinistre al rostre—. Ho vaig sentir tot.

L'Alberta es va treure la pipa de la butxaca i la va encendre. Va fer unes pipades lentes d'aquell tabac dolç i vomitiu. Era clar que la dona volia assaborir el moment, un moment en el qual exposaria el seu geni. Aleshores, el soroll d'unes ales que es batien va arribar des del passadís, i l'Alberta va apartar la mirada de la neboda durant un instant. Dissimuladament, la Stella va dibuixar amb els llavis la paraula «AMA-GA'T» a en Sutge. El fantasma va assentir, i just abans que l'ocell gegantí entrés volant per la porta de la cuina, ja tornava a estar segur a dalt de tot de la xemeneia.

—Ah, bon dia, rei meu —va dir la tieta Alberta, mentre el mussol se li acostava per posar-se damunt del seu braç. Va fer un llarg petó al bec d'en Wagner. L'ocell va moure les ales i va bellugar el cap. Girant-se de nou cap a la Stella, l'Alberta va tornar a començar—: Ahir al vespre vaig baixar al jardí a fer els darrers retocs al meu mussol de neu!

—Mussol de neu? —va preguntar la Stella.

—Sí —va continuar la dona—. Ja deus haver sentit parlar dels mussols de neu, oi que sí, criatura? Són com un ninot de neu, però una mica més, com ho podria dir...

—Mussolencs? —va proposar la nena.

—Exacte!

La Stella havia vist l'enorme figura de glaç al jardí,

però no tenia ni idea que es tractés d'alguna mena de mussol. L'obsessió de la seva tieta amb aquella espècie d'ocell de grans dimensions semblava no tenir fi.

—Aleshores vaig veure una llum a la finestra del garatge. Ho vaig trobar estrany. Quan em vaig apropar a les portes, vaig sentir la teva veu. Havies aconseguit fugir del celler. Em vols explicar com ho vas fer?

La nena havia de pensar ràpidament. No volia que la seva tieta sabés que havia fet servir l'abocador de carbó. Si se n'assabentava el bloquejaria, juntament amb totes les xemeneies.

—D'això... vaig trobar una còpia de la clau de la porta al terra de la carbonera!

La tieta Alberta va posar els ulls com una escletxa.

—De veritat?

—S... s... sí. Vaig pujar les escales de puntetes i vaig anar a veure com havia quedat el Rolls. Vaig pensar que devies dormir, i no et volia despertar.

—Mmm... — La dona va murmurar—. Una històra molt versemblant! Aleshores vaig sentir que deies que el te estava enverinat. Necessitava esbrinar què més sabies. Em vaig recolzar contra les portes per poder-te sentir millor. Em devia recolzar massa, perquè es van obrir de bat a bat.

—Ja me'n recordo! —va exclamar la nena. Ara tot començava a agafar sentit. Per això l'Alberta havia tramat el pla elaborat de disfressar-se de detectiu.

—Sí, nena, vas estar a punt de veure'm. Però quan vas tornar a tancar les portes, vaig continuar escoltant. Aleshores vas dir que trucaries a la policia. Neboda entremaliada! A la teva tieta no li va agradar gens, això. Oh, no! No li va agradar gens ni mica —va dir la dona, enjogassada, i després va somriure—. Va ser llavors que vaig començar a traçar aquest pla meu tan enginyós.

—I llavors vas tallar la línia telefònica? —va preguntar la Stella—. Per això no hi havia to de trucada!

—Justa la fusta. Aleshores vaig despenjar el telèfon de la meva habitació i vaig fingir que era l'operadora, i després la policia. El vestit que porto el vaig trobar doblegat al fons del vestidor del teu pare. Ell ja no el necessitarà! **Ha ha!**

—Ets menyspreable!

—Ja ho sé! I vaig escollir el nom de Strauss* per-què és el meu segon compositor alemany favorit. El bigoti era un ploma de mussol re-tallada, acolorida amb tinta i en-ganxada amb una mica de pega. Pel que fa a la perruca, vaig es-corxar una rata que guardava per donar a en Wagner, la vaig retallar amb unes esti-sores perquè m'encaixés, i després me la vaig encas-quetar al cap. —Mentre deia això, l'Alberta es va treu-re aquella cosa i va deixar al descobert la seva mata de cabells vermells. La Stella va quedar horroritzada da-vant de la visió d'aquell perruquí fastigós; sobretot quan es va adonar que la rata encara conservava la cua—. Aleshores l'únic que vaig haver de fer va ser

---

* Johann Strauss és el famós compositor alemany d'«El Danu-bi blau». No l'heu de confondre amb Johanna Strauss, que no va compondre ni una sola nota, però que feia uns cara-mels tous que eren una meravella.

treure el sidecar de la motoci-
cleta, i d'aquesta manera ja
et vaig engalipar del tot!
Sóc llesta, oi?

La tieta Alberta sem-
blava excepcionalment sa-
tisfeta d'haver-se conegut. En una paraula, estava
feta una fatxenda.

—No! —va respondre la Stella.

La dona va estrènyer els ulls.

—Com que «no»?

—No ets tan llesta, tieta. T'has delatat. Se t'ha es-
capat que vas collir llavors d'una de les plantes mor-
tíferes que tens a l'hivernacle i que les vas afegir al te
el matí de l'accident!

—Va ser el pla perfecte. Enverinar tothom i des-
prés fer veure que havia estat un accident de trànsit
—va dir la tieta Alberta a la lleugera, abans que el to
de veu es tornés sinistre—. Però aleshores vaig pen-
sar que tu, en sobreviure, ho havies esguerrat tot.

—Sabia que el te tenia un gust estrany! —va exclamar la nena—. Vaig abocar el meu en una planta.

—Ara entenc per què se'm va morir la begònia —va murmurar l'Alberta—. En qualsevol cas, quan es va llegir el testament del teu pare, em vaig adonar que et necessitava viva, com a mínim el temps suficient per traspassar-me les escriptures. No em puc creure que l'idiota del meu germà escrivís que si tu mories calia vendre Saxby Hall i donar tots els diners als pobres. A qui li importen, aquests pagesos llardosos?

La nena va mirar la dona amb menyspreu.

—El que has de recordar, tieta, és que mai no podràs guanyar!

—De veritat? —va roncar l'Alberta.

—Sí, perquè jo mai et cediré les escriptures! Mai de la vida! —va anunciar la Stella—. Fes-me el que vulguis, però Saxby Hall mai no serà teu!

L'Alberta va fer una ganyota. Semblava que per a ella tot plegat fos un joc.

—Aleshores, criatura, deixa que et presenti... el mussol de tortura!

30

El mussol de tortura

El mussol de tortura era un artefacte que havia disse-
nyat especialment la tieta Alberta en persona. La
dona l'havia construït just abans de presentar en
Wagner a la Fira Anual del Mussol, coneguda com a
FAM. Era un concurs de bellesa per a òlibes, de la
mateixa manera que n'hi ha per a gossos.

Hi havia nombroses categories de competició:

* Plomatge més suau

* Bec més brillant

* Coll més recargolat

* Mussol més alt

* Aleteig més llarg

* Udol més fort

* Ou de cria de mussol més gran

* Celles més poblades

* Urpes més gratadores

* Habilitats aèries

* Major nombre de rosegadors engolits en un minut

* Excrements de mussol amb més bona olor

Com que l'Alberta era l'Alberta, volia quedar primera en totes les categories. Per descomptat, això incloïa el premi al «mussol més alt». I com passava amb el joc de la puça, si per guanyar havia de fer trampes, en feia i prou. Mitjançant una subscripció a la revista *Mussol & Coses del Mussol*, havia conegut l'existència d'un famós criador de mussols suec, Oddmund Oddmund, que era el propietari d'una òliba noruega anomenada Magnus. Li donava una tona d'arengades en escabetx al dia, i havia crescut fins al metre amb vint-i-cinc centímetres.

Fins i tot amb les urpes de puntetes, en Wagner no passava dels noranta centímetres, de manera que no tenia cap possibilitat de guanyar en aquella categoria.

En el més profund de la seva ment malalta, l'Alberta va somniar el mussol de tortura. De seguida, sense dir-ho a ningú, va començar a fabricar-lo. Era un artefacte diabòlicament senzill.

Es tractava d'un sistema de tres passos per allargassar el mussol:

1) Lligues el mussol al mussol de tortura per les ales i els peus.

2) Fas girar el mànec.

3) Tornes a fer girar el mànec.

En Wagner gairebé ensorra la casa quan l'hi va lligar per primer cop. El dolor de l'allargament era intens. Guanyar la medalla d'or de la FAM al «mussol

més alt» no era tan important per a ell com per a la seva mestressa, però en aquell afer tenia poc poder de decisió.

El que va passar va ser que el mussol rival d'en Wagner en les apostes, en Magnus, estava tan obès per la tona d'arengada en escabetx al dia, que el seu propietari, Oddmund Oddmund, el va haver d'ar-

rossegar fins a la sala d'exposicions. Sota les estrictes regles de la FAM, el mussol va ser desqualificat immediatament perquè era obligatori que tots els mussols entressin volant a la sala. L'Oddmund Oddmund va apel·lar contra la decisió dels jutges, i va intentar demostrar que en Magnus era capaç de volar si se'l disparava des d'un canó. Però en Magnus va aterrar amb gran estrèpit sobre la taula del jurat, i tres dels seus membres van morir aixafats com a conseqüència de l'impacte. A partir d'aquell moment, es va prohibir de per vida la participació de l'Oddmund Oddmund en totes les competicions de mussols futures.*

En Wagner va volar cap a casa amb el premi al «mussol més alt», juntament amb moltes altres estatuetes de mussol.**

Ara l'Alberta es disposava a fer servir el mussol de tortura com a instrument de coacció per a la seva neboda. Si aquell dispositiu terrible no la forçava a cedir-li les escriptures de Saxby Hall, res no ho faria. L'artefacte estava guardat en unes petites golfes a dalt de tot de la casa, totalment desproveïdes de mobles a excepció d'un armari buit i vell. Era una habitació que ni tan sols la Stella sabia que existís.

* Oddmund Oddmund va optar per passar-se a la cria de pingüins, i a dia d'avui encara conserva el rècord mundial com a propietari del pingüí més gras que ha viscut mai, l'Agneta, que va arribar a pesar sis tones, el pes aproximat d'un elefant africà adult.
** O «mussoletes».

A les golfes, l'Alberta va lligar la Stella a l'aparell. Per molt que intentés bellugar les cames o estirar els braços, una vegada aferrada a la màquina, va quedar totalment immobilitzada. Mentrestant, sobre l'ampit de la finestra, en Wagner descansava ara sobre un peu, ara sobre l'altre, inquiet de veure novament l'artefacte. Darrere seu, la Stella veia la tempesta que tornava a agafar força a l'exterior de la casa.

El rostre de la tieta Alberta resplendia de maldat quan va fer girar el mànec del dispositiu i les cames i els braços esquifits de la Stella es van estirar en direccions oposades.

—Aaaaaarrrggggg ghhhh!!! —va cridar la nena.

—Signa el document! —va exigir l'Alberta.

—Mai! —va respondre la Stella, mortificada pel dolor.

—Signa'l!

La tieta va tornar a fer girar el mànec.

—Aaaaaarrrgg gghhhh!!!

En Wagner es va tapar els ulls amb les ales. Potser era per la impressió de veure el dolor de la nena, potser perquè li recordava els moments que ell també havia passat lligat a l'artefacte, però el mussol era incapaç de mirar l'escena.

—Molt rebé, criatura; doncs t'hauré de deixar lligada a l'aparell, sense aigua ni menjar. I cada vegada que torni giraré una mica més el mànec. Cada cop amb una mica més de força, fins que t'arrencaré els braços i les cames.

Era una imatge aterridora. La Stella s'estimava força les seves extremitats. Però estava decidida a no mostrar cap signe de feblesa.

—Al final et rendiràs, criatura —va fer la tieta Alberta.

—No! No! No ho faré! Mai de la vida! —va exclamar ella.

—I tant que ho faràs —va respondre la seva tieta—. Potser serà aquesta nit, o demà, o demà passat, o l'altre, o l'altre, però al final t'ensorraràs. Aviat em suplicaràs que et deixi signar les escriptures de la casa. I aleshores Saxby Hall serà meva per fi. Meva i només meva!

—Ets un monstre! —va cridar la nena.

La tieta Alberta s'ho va prendre com un compliment.

—Moltes gràcies. Un monstre? Crec que mai no m'ho havien dit, això. Quina gran lloança! I ara, abans de marxar, giraré una micona més el mànec.

Aquesta vegada l'Alberta va accionar el mànec amb totes les seves forces. Els braços i les cames de la Stella gairebé es van desconjuntar.

—AAAaaaRRRRRGGGGGGHHHHHH!!!!!! —va cridar. Mai no havia experimentat un dolor semblant. L'agonia li envaïa tot el cos. Era com si li hagués caigut un llamp al damunt.

—Som-hi doncs! —va dir l'Alberta, tota riallera—. Wagner!

De seguida el mussol va volar fins al braç de la mestressa, i la parella va sortir de l'habitació. La nena va esperar a sentir el so de la porta que es tancava i els passos que baixaven les escales.

—Sutge! —va xiuxiuejar.

El noi va aparèixer per la xemeneia, extraordinàriament trasbalsat.

—Em sap molt greu, milady, volia ajudar-vos, però m'havia de mantenir amagat.

—Has fet el que havies de fer, Sutge. Ara treu-me d'aquesta cosa.

En Sutge va córrer cap al mussol de tortura i va començar a fer girar el mànec.

—AAARGH! —va cridar la Stella—. A l'inrevés!

—Ho sento! —va dir en Sutge. Ràpidament, va girar el mànec en l'altra direcció, alliberant la pressió dels malaurats braços i cames de la noia. A les palpentes, va deslligar les corretges de cuir de les mans i els peus de la Stella. La nena es va aixecar, vacil·lant una mica.

—He de dir que us trobo una mica més alta, milady —va observar el fantasma.

—Encara li hauré de donar les gràcies —va contestar la Stella, amb sarcasme.

—Aleshores, quin és el pla, milady?

La Stella va cavil·lar un instant, fins que un somriure li va il·luminar el rostre tacat de llàgrimes.

—Comença el contraatac!

31

Formigues a les calces

La idea de la Stella era senzilla. La nena havia de fer tots els possibles per aconseguir expulsar aquella dona malvada de casa seva. Per sempre més. L'Alberta ja havia mort la seva mare i el seu pare. Res no l'aturaria per obligar la Stella a renunciar a Saxby Hall en benefici seu, encara que hagués de recórrer a la tortura.

Junts a les golfes, en Sutge i ella van començar a imaginar tot un seguit de trucs diabòlics contra l'Alberta. Havien de ser uns trucs que fessin que la tieta de la noia marxés foragitada de Saxby Hall demanant clemència.

Al començament, a la Stella li va costar pensar-ne cap. Havia tingut una criança molt protegida, havia crescut en una enorme casa de camp i havia estat educada en una escola exclusiva per a noies.

—Li amagarem un mitjó de cada parell! Així, quan se'ls posi al matí, estaran des-parellats! —va exclamar.

En Sutge va posar cara de circumstàncies. El noi no havia tingut mai uns mitjons, de manera que la perspectiva de torturar l'Alberta obligant-la a dur mitjons desparellats li va semblar penosa.

—Amb tots els respectes, milady. Això és una bona poca-soltada!

La Stella es va sentir bastant ofesa.

—Bé, doncs, m'agradaria escoltar les teves pro-postes!

En Sutge va pensar una estona. Com que havia crescut en una casa d'orfes, havia après que cal ser dur per sobreviure. Havia vist nois que es feien les pitjors passades els uns als altres durant els anys que havia viscut allà.

—Li posarem formigues a les calces!

—Formigues a les calces? —es va sorprendre la nena.

—Sí. I això només serà el començament.

Per un moment, la Stella va semblar descol·locada, però de seguida se li va il·luminar la cara només de pensar-ho. En un tres i no res, va intentar superar la idea d'en Sutge.

—Li inundarem el terra de bales de vidre!

El fantasma va anar encara més enllà.

—Li farem explotar la pipa!

En pocs minuts, tots dos havien escrit una llarga llista de trucs:

- Posar-li un niu de formigues al calaix de les calces.
- Inundar la catifa de bales de vidre. A l'habitació dels nens n'hi havia una capsa enorme.
- Treure-li tot el tabac de la pipa i substituir-lo per pólvora d'un cartutx d'escopeta que havien trobat en un calaix de l'escriptori del pare, al despatx.
- Barrejar un sabó que feia moltes bombolles de la cambra de bany de la mare amb la pasta dentifrícia de la dona.

— Tallar-li la pastilla de sabó i posar-hi el betum per llustrar botes que hi havia a la cuina.

— Anar al garatge per agafar un tros de vidre de la finestra trencada del Rolls Royce, i després col·locar-lo a la tassa del vàter perquè quan hi pixés rebotés contra el seu cul!

La parella estava tan engrescada imaginant la llista, que haurien continuat afegint-hi coses fins a la matinada. Però no hi havia temps a perdre, i de seguida es van disposar a posar els plans en pràctica. Com que sentien els roncs de la tieta Alberta que arribaven des de l'habitació, sabien que tenien una mica de temps per estar tranquils.

La petita xemeneia de les golfes serviria com a via d'escapament. Era força estreta, però una vegada estiguessin dintre podrien fer servir l'enorme xarxa de xemeneies i túnels de Saxby Hall. Junts, accedirien a tots els racons de la casa. Així doncs, la Stella va seguir en Sutge en direcció a la xemeneia de les golfes, fent un esforç per encabir-hi el seu cos.

Van passar tota la nit pujant i baixant per la vasta xarxa de túnels i abocadors, recollint tots els accessoris necessaris per fer les seves jugades a la tieta terrible.

Just en el moment que estaven escampant tot de bales de vidre per la catifa de l'habitació de l'Alberta, mentre aquesta dormia amb l'estimat mussol ben arraulit al costat, la Stella es va adonar que les cortines començaven a resplendir, il·luminades pel sol que treia el cap darrere seu. S'estava fent de dia. La parella va desaparèixer ràpidament per la llar de foc del dormitori de l'Alberta i van tornar a pujar fins a les golfes. Quan van ser allà, en Sutge va tornar a lligar la Stella al mussol de tortura perquè la tieta Alberta pensés que la seva neboda no s'havia bellugat en tota la nit.

Al pis de baix, el rellotge de l'avi va tocar les sis i va despertar l'Alberta.

BONG BONG BONG BONG BONG BONG.

La diversió estava a punt de començar!

32

«El meu cul! El meu cul!»

La tieta Alberta es va incorporar al llit. Va donar un copet a en Wagner, que duia un pijama de ratlles a joc amb el que duia ella. Havia arribat l'hora de fer girar un altre cop el mànec del mussol de tortura i continuar torturant la seva neboda, que era el més important.

De moment, l'Alberta es va disposar a llevar-se. Però els seus peus, en comptes de tocar la catifa com ho feien cada matí, van trepitjar un mar de bales de vidre. Les petites esferes van rodar sota el seu pes, i amb un fortíssim

UOOOIX!

l'Alberta va sortir disparada i va a aterrar de cul amb un gran

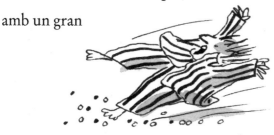

CRAIX!

—AU! —va cridar. La dona va agafar un grapat de bales—. Com dimonis han anat a parar aquí?!

Una vegada i una altra, l'Alberta va provar d'aixecar-se, però cada cop tornava a caure a terra. Els centenars de boletes la feien rodar en totes direccions. De quatre grapes, va aconseguir gatejar fins a la cambra de bany, i es va enfilar fins a la tassa de vàter. Immediatament va notar una sensació d'alleujament immens. Però la sensació va durar menys d'un segon, perquè el pipí rebotava i tornava cap a ella! Amb el cul totalment mullat i amb els pantalons del pijama abaixats al voltant dels turmells, va saltar de la tassa, tot cridant,

—Noooooo!!!

Després de respirar fondo per recuperar-se una mica, l'Alberta va mirar el fons de la tassa. Per molt que s'hi esforçava, no aconseguia veure-hi res estrany. El fragment de vidre que la parella hi havia posat estava perfectament col·locat damunt de l'aigua, de manera que no despertés la més mínima sospita. Així doncs, la dona va tornar a seure i ho va tornar a intentar.

—Noooooooooo!!! —va cridar, quan el pipí va tornar a rebotar contra el seu cul.

Encara amb la necessitat imperiosa de fer pipí, però apartant-se momentàniament de la tassa, la dona es va acostar a la pica per rentar-se la cara. Va obrir les aixetes i va posar la pastilla de sabó sota l'aigua per humitejar-la. Després, va tancar els ulls i es va fregar la cara amb el sabó, pensant que s'estava fent una bona rentada. Però l'esperava una sorpresa de campionat. Quan va obrir els ulls i es va mirar al mirall, hi va veure una altra persona. De fet era la seva pròpia cara, però totalment pintada de negre.

—NNNNNNNNNNNO OOOOOOOOOOOO!!! —va cridar, horroritzada.

Per molt que intentés treure's la brutícia amb més sabó, el resultat cada vegada era pitjor. Ara també tenia les mans i el coll totalment negres. L'Alberta es va posar la punta de la pastilla sobre la llengua, per tastar-la.

—Ecs! És betum!

Mirant-se al mirall, va inspeccionar la llengua, que havia quedat completament negra. Desesperada per netejar-la, va allargar la mà per agafar el raspall i la pasta de dents. L'Alberta va repartir el que pensava que era el seu dentifrici de gust de menta preferit sobre el raspall. Com és natural, a hores d'ara ja sospitava de tot. Abans de dur-se'l a la boca, el va olorar. Recordava el perfum de menta, de manera que va començar a raspallar-se la llengua de color negre.

Però tan aviat com es va posar a fregar, el sabó de bombolles que en Sutge i la Stella hi havien barrejat va començar a fer escuma. Unes bombolles enormes i sabonoses li van anar sortint de la boca. Com més furiosament raspallava, més grosses eren les bombolles, i aviat la cambra de bany en va quedar inundada.

—Això és obra del dimoni! —va udolar.

A dalt de les golfes, la Stella i en Sutge escoltaven els crits que deixava anar la dona, i no podien parar de riure.

Tornant al dormitori, l'Alberta va estirar una manta damunt les bales de vidre per poder caminar fins a la calaixera. Decidida a esbrinar quina era la causa de tot plegat, es va afanyar a vestir-se. Primer es va posar una de les seves calces gegantines, tan grosses com una tenda de campanya per a nens. Quan les va tenir posades, va notar una sensació estranya, un pessigolleig. El pessigolleig anava empitjorant i fins va tenir la sensació que li cremava el cul.

—El meu cul! EL MEU CUL! —va bramar, i es va posar a saltar amunt i avall i a bellugar-se ràpidament per l'habitació. Era com si estigués assajant un pas de ball especialment ridícul i inventat per ella mateixa. En Wagner, al llit, havia redreçat el llom i contemplava l'exhibició. El mussol havia vist la seva mestressa fer coses molt estranyes, però aquesta vegada s'estava superant.

Dins de les calces, les formigues estaven fent màgia.

La dona es va dirigir amb convulsions i tremolors fins a la cadira de braços, i va agafar la pipa. El tabac era un remei infal·lible, sempre aconseguia calmar-la i millorar-li l'humor. La tieta Alberta es va posar la pipa a la boca i va acostar un misto encès al petit dipòsit de tabac. Però no hi havia tabac.

Era pólvora.

33

El joc del gat i la rata

No fóra exagerat dir que la dona no estava gaire contenta. La tieta Alberta estava FURIOSA. Amb la cara embetumada, la boca escopint bombolles de sabó, els cabells vermells socarrimats per l'explosió i les formigues dansant per les calces, va pujar escales amunt cap a les golfes.

L'Alberta sabia que la seva neboda havia de ser la responsable d'aquell desgavell.

Va irrompre per la porta amb la intenció d'enxampar la nena fent-ne alguna. Però es va endur una gran sorpresa quan va veure que la Stella es trobava exactament al lloc on ella l'havia dei-xat, lligada al mussol de tortura.

En veure l'aparença tan original de la seva tieta, mig despullada i bellugant-se de manera salvatge, la nena no es va poder estar de deixar anar una rialleta.

—Ho trobes divertit, oi? —va preguntar l'Alber-ta, sense esperar resposta.

—No, no —va contestar la nena—. Ho trobo més aviat HILARANT! —I dit això la Stella va esclatar amb una rialla incontrolable—. HA HA HA!

—Bé, doncs. Aleshores això potser també et sem-blarà hilarant! —va dir la dona, tot accionant el dis-positiu de l'artefacte una vegada i una altra.

—AAAAAAAAARRRRRRRRGG GGGGGGHHHHHH! —va cridar la nena.

—No veig que riguis pas, ara!

—No —va dir la nena, fent el cor fort—. Però en-cara fa molta gràcia!

L'Alberta, que treia fum pels queixals, va tornar a accionar el mànec, i les extremitats de la Stella es van separar una mica més.

Per desgràcia, els trucs no havien funcionat. L'Alberta no havia fugit esperitada de Saxby Hall. En comptes d'això, s'havia tornat més agressiva que mai.

—Sé que totes aquestes maleses han estat cosa teva, però, com t'ho has fet, criatura? Et vaig lligar jo mateixa a la llitera, i la porta estava tancada per fora. No hi havia escapatòria.

—No sé de què parles —va protestar la nena.

—Saps perfectament de què parlo —va roncar la tieta Alberta. Es va inclinar sobre la cara de la seva neboda, i la va mirar fixament als ulls—. Sé que menteixes.

La dona es va passejar per les golfes, cercant alguna pista. Primer va treure el cap per la petita finestra, per veure si hi havia algú penjat precàriament per les puntes dels dits, a punt de caure al buit. Després es va acostar de puntetes a l'enorme armari de roure que hi havia en un racó de l'habitació. En va obrir la porta d'una revolada i va quedar amargament decebuda en no trobar-hi ningú amagat. L'Alberta va tornar a esguardar la seva neboda. De manera inconscient, la Stella va mirar en direcció a la llar de foc. No! S'havia tornat a delatar. Era allà on s'estava el seu amic, observant el joc del gat i la rata.

—Aleshores —va xiuxiuejar la dona—, jo tenia raó. La pista és a la xemeneia.

—No sé què vols dir —va fer la nena.

—Menteixes molt malament, criatura.

—No és veritat! —va protestar la Stella, sense saber si era bo o dolent negar que mentia malament. Això implicava que mentia bé, és a dir, que mentia.

—Ahir vas mirar cap a la llar de foc de la cuina —va continuar l'Alberta—. La pista és aquí dintre. N'estic segura!

La dona es va atansar a la llar. En Sutge, que per a ella era invisible, es va apartar. Mentre la dona s'ajupia per inspeccionar la xemeneia, el fantasma va tenir una idea.

En Sutge va córrer cap a l'armari. S'hi va esmunyir al darrere i el va començar a empènyer amb totes les seves for-

ces cap a la tieta Alberta. Quan les potes poderoses van xerricar sobre els taulons de fusta, la dona va alçar la mirada. Però ja era massa tard. En Sutge li va llançar l'armari al damunt, i després de sentir-se un soroll sec en el moment que va picar contra el terra, l'Alberta va quedar atrapada dins del moble.

—Traieu-me d'aquí! Traieu-me d'aquí de seguida! —va dir la veu enrabiada que sortia de l'interior.

—Bona feina, Sutge! —va exclamar la nena.

—Gràcies, milady!

—Traieu-me immediatament d'aquí!

Mentre l'armari trontollava pel terra amb la tieta Alberta debatent-s'hi dessota, el fantasma va descordar les corretges que subjectaven les mans i els peus de la Stella al mussol de tortura.

–Wagner!
WAGNER!

—va udolar la dona, mentre la parella sortia corrents escala avall. En arribar al replà següent es van haver d'ajupir, perquè l'òliba gegant els va passar fregant el cap, camí de les golfes.

Quan van arribar a la planta baixa, la Stella gairebé va topar amb en Gibbon. El majordom estava donant la mà a una planta que hi havia dins d'un test, mentre deia:

—Torni a passar uns dies sempre que li vingui de gust, Major.

—On anem, ara, milady? —va preguntar en Sutge.

—Al garatge —va contestar la nena—. Tinc una idea.

34

La classe de conduir

—Però vós no sabeu conduir! —va protestar en Sutge. La parella s'estava al garatge, al costat del Rolls Royce baquetejat.

—És veritat, no en sé —va reconèixer la Stella—. Però és l'única possibilitat que tinc per fugir. No puc quedar-me aquí ni un instant més, o la meva tieta em tornarà a lligar al mussol de tortura fins a arrencar-me els braços i les cames!

—Ja ho sé, milady, però...

—No hi ha peròs! Escolta'm bé. Si agafo prou velocitat, podré travessar les portes i arribar al pròxim poble en un tres i no res.

—És massa perillós!

El fantasma no semblava gens convençut. L'últim

que volia era que la seva amiga es matés en el seu intent de fugida.

—He vist com el meu pare conduïa aquest vehicle un munt de vegades. No crec que sigui tan difícil.

La Stella era una noia molt tossuda. Va obrir la porta del Rolls familiar destrossat i va pujar-hi tot seguit.

—Fes servir el clatell! Els peus no t'arriben als pedals! —va observar el fantasma.

—Es pot saber què hi té a veure, el clatell? —va exclamar la Stella.

—Clatell, cervell, és clar —va dir en Sutge, arronsant les espatlles.

La Stella va sacsejar el cap, desesperada, i després es va mirar els peus, que penjaven de l'enorme seient de cuir negre del conductor.

—Per què serveixen, els pedals? —va preguntar innocentment.

—No m'ho puc creure! —va exclamar ell—. Només una nena pot preguntar una cosa com aquesta!

A la Stella no li va agradar gaire el comentari.

—Tu ets un escura-xemeneies! Des de quan ets un expert en conducció? M'hi jugo el que vulguis que no has estat mai dins d'un automòbil. I encara menys en un Rolls Royce!

Això era cert. Només les persones molt riques tenien automòbil a l'època que en Sutge era viu. I només les persones increïblement riques tenien un Rolls Royce.

—Doncs no! Però sé com funcionen.

—Ah sí? I com pot ser, això?

La Stella estava començant a perdre la paciència.

—Sóc un noi —va raonar—. Tots els nois saben com funcionen aquestes coses.

Això va enfurismar la Stella. Perquè sabia del cert que les noies eren infinitament millors que els nois en totes les coses.

—Ah sí? —va fer amb un to profundament sarcàstic. No estava disposada que en Sutge es donés el gust de conduir el cotxe tot sol només perquè era un carallot de noi—. Bé doncs, si saps tantes coses d'automòbils, em pots donar la meva primera classe de conduir!

El fantasma no estava segur que això fos una bona idea.

—Però, milady... —va protestar.

—No hi ha temps per seguir discutint! Puja al cotxe!

En Sutge va fer el que li manaven i va pujar al Rolls Royce.

—I ocupa't dels pedals! —va ordenar la nena—. Si és que serveixen per alguna cosa.

El fantasma es va instal·lar a la part inferior del seient, just a sota dels peus suspesos de la nena.

—A veure, què és el que sabeu? —va preguntar en Sutge.

—Sé que he de subjectar aquesta cosa grossa i rodona.

—El volant! Sí! Ens matareu.

—Amb tots els respectes, Sutge, tu ja estàs mort.

—Accepto la correcció, milady —va sospirar en Sutge—. El primer que heu de fer és girar la clau de contacte.

La nena ho va fer i, amb en Sutge pitjant amb la mà el pedal de l'accelerador, el motor va rugir.

—Encara funciona! —va exclamar la Stella—. Sabia que el vell Rolls no em deixaria penjada.

—Ara, veieu aquesta cosa llarga i prima que teniu a mà esquerra? —va preguntar en Sutge.

La Stella hi va passar la mà.

—Sí.

—És per canviar les marxes. Quan jo us ho digui, la moveu cap endavant i cap a l'esquerra.

Tot mantenint una mà sobre el pedal de l'accelerador, en Sutge va posar l'altra damunt del pedal de l'embragatge.

—ARA! —va cridar.

El cotxe va començar a moure's cap endavant.

—Sutge?

—Què?

—Ens hem oblidat d'obrir les portes del garatge.

—Agafeu-vos fort! —va exclamar en Sutge. El

ESMAIX!

fantasma va prémer l'accelerador tan fort com va po-
der, i el motor va bramar. El Rolls Royce va avançar
disparat...

El vehicle va travessar amb estrèpit les portes
enormes del garatge. Fragments de fusta van sortir
volant en totes direccions, mentre el Rolls avançava
veloçment pel camí d'entrada cobert de glaç. L'aire

fred de l'hivern va entrar com un ganivet per la finestra trencada del vehicle i els ulls de la nena es van aigualir. El vell motor del cotxe havia quedat molt danyat per l'accident, les rodes de davant estaven bloquejades i un dels pneumàtics posteriors estava rebentat. En aquell estat el cotxe era difícil de conduir fins i tot per a un pilot de curses. Malgrat tot van continuar avançant en línia recta pel camí, en direcció a les tanques i a la llibertat. Per damunt del brogit del motor, en Sutge va cridar:

—Canvieu de marxa!

La Stella va remenar el canvi de marxes, i de sobte el cotxe es va aturar en sec i va començar a retrocedir cap a la casa a una velocitat rapidíssima.

—Això és la marxa enrere! —va cridar el fantasma, i va estampar la mà sobre el pedal del fre, cosa que va fer que el cotxe giravoltés sobre si mateix abans d'aturar-se violentament.

—Primera un altre cop. A dalt i a l'esquerra.

La nena seguia les instruccions meticulosament.

—Ara poseu segona, tot a l'esquerra.

El Rolls rodava a un bon ritme. Hi havia tanta neu pertot arreu que era molt difícil distingir on acabava el camí i on començava la gespa. La Stella va aconseguir esquivar uns arbres per molt poc, i va evitar la col·lisió frontal amb l'enorme mussol de neu que la tieta Alberta estava fent. Les altíssimes tanques de ferro del final del camí es van fer visibles.

—Ens acostem a les portes —va cridar la Stella, emocionada.

Just en aquell instant van sentir el brogit eixordador del motor d'una motocicleta. Era la tieta Alberta, que s'acostava veloçment al cotxe amb en Wagner instal·lat al sidecar.

L'Alberta i el seu mussol duien cascs i ulleres d'aviador a joc.

—És la meva tieta! —va exclamar la Stella—. La tenim just darrere!

Amb la mà, en Sutge va prémer a fons l'accelerador.

—Agafeu-vos fort! —va dir el fantasma—. Hem d'augmentar la velocitat, si volem travessar les tanques.

La Stella va mirar cap enrere.

—Ens estan atrapant! —va cridar.

—Poseu directament la quarta, doncs. A baix i a la

dreta! —va udolar en Sutge per damunt del brogit del motor.

Es va sentir un soroll metàl·lic fortíssim quan la nena va canviar les marxes. En quarta velocitat, el Rolls anava cada cop més ràpid. Les enormes portes de ferro estaven a pocs segons de l'impacte.

—És imminent! ARA! —va cridar la Stella, i va tancar els ulls quan el Rolls va picar contra les tanques...

CRAIX!

...i va es va aturar en sec.

—Diantre!

—Ara sí que estem perduts! —va dir la Stella, empassant-se saliva.

El llac glaçat

La part posterior del Rolls Royce va sortir disparada per la força de l'impacte i va picar contra el terra amb un cop sord i colossal. El cotxe va quedar immobilitzat sobre el camí d'entrada glaçat. Hauria calgut un tanc per traspassar les enormes portes de ferro de Saxby Hall.

Darrere seu, a poca distància, l'Alberta va aturar la motocicleta. La dona es va aixecar les ulleres i va somriure amb delectació mentre inspeccionava l'escena.

—Esteu bé, milady? —va preguntar en Sutge, alçant la vista des dels pedals del Rolls Royce.

La Stella continuava asseguda al seient del conductor. Però s'havia colpejat el cap amb el volant i l'única cosa que veia eren estrelles.

—Sí. Només estic una mica estabornida i prou.

Eixarrancada damunt la moto, l'Alberta semblava diabòlicament satisfeta de si mateixa.

—Em sembla que has arribat al final del camí —va dir en veu alta—. Crec que és el moment que tornis cap a casa i signis finalment el traspàs de les escriptures de Saxby Hall. Sigues bona noia.

La Stella va xiuxiuejar a en Sutge.

—Ara no ens podem rendir. Ha d'haver-hi alguna manera de sortir-nos-en. Creus que al Rolls encara li queda potència?

—Només hi ha una manera d'esbrinar-ho —va contestar ell—. Posa la marxa enrere.

La nena va fer el que li deien i el vehicle es va balancejar cap enrere. La col·lisió havia destrossat encara més la part frontal del Rolls. La reixeta davantera seguia enclastada contra les portes, però el motor estossegava i espetegava viu.

El somriure de l'Alberta es va convertir en una

expressió sorruda en adonar-se que la seva neboda encara tenia esma per continuar lluitant.

—Primera! —va ordenar en Sutge. La Stella va canviar de marxa, i el Rolls va sortir ranquejant cap endavant, amb l'Alberta encalçant-lo de prop.

BRUUUUUUUUM!

El Rolls avançava veloç entre els vastos terrenys de Saxby Hall, amb la motocicleta a poca distància. El gir de les rodes dels dos vehicles motoritzats feia volar l'espessa capa de neu que cobria la superfície del camí. La Stella va provar de fer unes quantes batzegades amb el volant, en un intent de ruixar de neu el camí de la tieta Alberta. Però tot i així no va evitar que la dona malvada continués recuperant terreny. La moto de l'Alberta tenia unes punxes especials per a la neu, aferrades als pneumàtics, que la mantenien ferma sobre la pista.

—ATURA-LA! —va ordenar la tieta Alberta. En Wagner va saltar del sidecar i es va anar a posar damunt les espatlles de la seva mestressa. Per un moment, van semblar els components d'un equip d'equilibristes motoritzats, abans que en Wagner emprengués el vol.

La gran òliba de les muntanyes bavareses pot assolir velocitats de fins a cent seixanta quilòmetres per hora. En Wagner va sortir disparat cel enllà. Mentre el cotxe avançava, la Stella va alçar la vista a través de la finestra per mirar de localitzar el mussol. Aleshores en Wagner va aterrar violentament sobre el capó del Rolls, abonyegant el metall amb les urpes gegantines. El mussol va mirar fixament la nena. Amb el pit imponent li va bloquejar completament la visió.

—No veig per on vaig! —va cridar la nena.

—Agafeu-vos fort que frenaré! —va respondre en Sutge.

Però anaven massa de pressa, i en comptes d'aturar-se, el cotxe va començar a donar voltes sobre si mateix.

En Wagner va trontollar i va tornar a sortir volant. La Stella era conscient que el cotxe giravoltava de manera incontrolable cap al llac glaçat, que començava allà on s'acabava la gespa.

—Frena! —va cridar.

En Sutge tenia les dues mans damunt del pedal, i premia tan fort com podia.

—Ja ho faig! —va respondre.

Semblava que el temps s'alentís i s'accelerés a la vegada, en el moment que el Rolls Royce masegat va caure giravoltant damunt del glaç. En arribar al bell mig del llac, el cotxe va deixar de lliscar, i el motor es va apagar amb un espetec final. La Stella va intentar desesperadament de tornar a engegar el vehicle, però el fidel Rolls Royce havia exhalat la darrera alenada.

L'Alberta va aturar la motocicleta a la riba i va apagar el motor. En Wagner va tornar volant al seu guant de cuir. El silenci era com un tro. Per un instant, hi va haver una quietud increïble. Aleshores es va sentir que alguna cosa s'esquerdava.

CRAC

Al començament el soroll era molt feble, però es va anar fent cada vegada més i més fort, multiplicant-se en un concert de milers de cracs.

CRAC CRAC CRAC CRAC CRAC CRAC CRAC CRAC CRAC CRAC CRAC CRAC

La Stella va mirar per la finestra del cotxe. La làmina immensa i perfecta de glaç que cobria el llac s'havia convertit en un dibuix elaborat de línies interconnectades. El vehicle pesant es va inclinar cap a un costat, a mesura que el fragment de gel que l'aguantava s'anava esquerdant sota el seu pes titànic.

—Auxili! —va cridar la nena, mentre l'aigua glaçada començava a inundar el cotxe.

En Sutge es va enfilar al seient.

—És una situació molt perillosa, milady —va implorar—. Us heu d'intentar salvar.

Amb l'aigua glaçada pujant-li dels peus als turmells, i dels genolls a la cintura, la Stella s'havia quedat paralitzada de terror. Per molt que ho intentés, era incapaç de moure's, i aviat se li van entelar els ulls i l'únic que va veure va ser la imatge mental del seu cos flotant damunt del glaç.

—Milady! —va cridar el fantasma—. Pugeu al sostre!

Tremolant de manera incontrolable a causa del fred, la Stella va aconseguir amb grans esforços sortir del cotxe i pujar al sostre del vehicle. Encara descalça, va començar a relliscar i a patinar, i va estar a punt de caure damunt les aigües glaçades de sota. Podia veure la seva tieta rient satisfeta des de la seguretat de la riba.

—Tinc por, Sutge. No vull morir —va dir la nena.

—No, no us ho recomano —va contestar el fantasma.

—I què serà de tu? —va preguntar ella.

—No us preocupeu per mi, milady. El més important és que us salveu.

—Ja ho veus, criatura. He tornat a guanyar! Per fi estàs disposada a signar les escripturetes? —va udolar la dona malvada, amb una veu profunda que surava per damunt del gel.

El Rolls Royce masegat s'estava enfonsant a un ritme alarmant, i ja estava a punt de quedar totalment submergit. El glaç que encerclava el cotxe s'havia esquerdat en fragments petits, i era impossible que la Stella el pogués travessar sense conseqüències. Si intentava capbussar-s'hi i nedar, l'aigua estava tan freda que sens dubte moriria en qüestió de moments.

—Heu de fer el que ella diu —va dir en Sutge. El fantasma s'estava enfonsant juntament amb el cotxe, i al cap de pocs segons ja només li sortia el cap, per la

finestra del Rolls. Amb l'aigua freda pujant-li pel cos, la forma fantasmal es va anar evaporant dins de l'aigua—. És la vostra única esperança!

La Stella continuava fent equilibris damunt del sostre del cotxe, amb l'aigua glaçada que li arribava fins als genolls.

—Què me'n dius, Stella? —va udolar l'Alberta—. Què has decidit?

—Signaré les escriptures! —va respondre la Stella.

—Veus com no era tan difícil? —va fer la tieta—. Wagner! Porta-me-la!

L'ocell gegant es va tornar a enlairar des de la mà de la dona i va sobrevolar el llac glaçat. La Stella ja estava submergida fins a l'alçada del pit, però les urpes del mussol la van aferrar per les espatlles i la van aixecar al vol. Un instant més tard, volaven per l'aire fred del matí.

—Aneu amb compte, milady! —va cridar el fantasma. La nena va mirar cap a baix i va veure com en Sutge i el seu estimat Rolls desapareixien dins del llac, fins que l'única cosa que va quedar surant sobre l'aigua va ser la petita gorra fantasmal del noi.

—Noooooo! —va cridar la nena.

En Wagner va deixar la nena plorosa a la riba del llac, als peus de la seva mestressa. Glaçada, escabellada i derrotada, la Stella jeia a terra. Ja no tenia sentit continuar lluitant. Ja no li quedaven forces. La tieta Alberta havia guanyat. La dona malvada va mirar la desgraciada criatura, tremolosa dins de la camisa de dormir amarada, amb el rostre tacat de llàgrimes, i va fer una rialleta cruel.

—Sabia que acabaries donant la raó a la teva tieta.

36

Fàcil fàcil facilet

Ara que la tieta Alberta tenia la seva neboda just on ella volia, va procedir a tractar-la amb la màxima amabilitat. Al saló de Saxby Hall, va embolicar la nena en una manta ben calentona, i la va seure en el sofà més còmode que hi havia, davant de la llar de foc.

—Té, joveneta —va dir la dona, tot servint a la Stella un bon plat de sopa calenta—. T'has de revifar per a la qüestió insignificant de la signatura de les escripturetes.

En el fons del seu cor, la nena sempre havia sabut que mai de la vida no lliuraria les escriptures de Saxby Hall a la seva tieta malvada. Però ara tenia el cor trencat. El cos i l'ànima de la Stella havien quedat aixafats per aquells darrers dies i nits de terror. Sense els seus pares, i amb en Sutge atrapat al fons del llac glaçat, tenia la sensació que ja no li quedava cap raó per continuar vivint. Si signava els documents, potser s'acabaria el malson.

—Deixa que vagi a buscar una plometa —va dir la dona, alegrement.

La Stella va fixar la vista en el foc i va fer un glop del bol de sopa.

La tieta Alberta va tornar amb el document i amb una enorme ploma de mussol, i va seure al sofà al costat de la seva neboda.

—No cal que et prenguis la molèstia de llegir-lo! De cap manera! És un text terriblement avorrit! —va dir, amb una rialleta—. Només has de posar la teva signatura a baix de tot, això mateix, bona nena.

La Stella va agafar la ploma. Tenia la mà tan tremolosa pel fred que havia agafat, que no era capaç de subjectar-la.

—Estimada criatura, deixa que la teva tieta t'ajudi amb la maneta. —Dit això, la dona va embolcallar la mà de la seva neboda amb la seva i lentament va acostar la ploma al paper—. Deixa que t'ho posi fàcil fàcil facilet —va afegir.

Amb una mà, va subjectar la mà tremolosa de la nena, i amb l'altra va bellugar el full de paper fins que la signatura de la Stella va quedar impresa al peu dels documents.

Per fi, Saxby Hall era seu.

La tieta Alberta va plorar d'alegria. Era la primera vegada que la Stella veia la dona tan emocionada. Va començar a fer saltirons pel saló, i va córrer cap a en Wagner, que descansava a la seva perxa, per fer-li un petó ple de bavalles al bec. A continuació va començar a ballar i a cantar una cançoneta inventada sobre si mateixa.

—Aclameu-me tots, sóc lady Saxby...

Però després del primer vers va haver d'interrompre la cançó, perquè era clar que a l'Alberta no se li acudia res que rimés amb Saxby.*

—Saps què en penso fer, d'aquest lloc, criatura?

—No, tieta Alberta, no ho sé —va respondre la nena, abans de continuar amb un to sarcàstic—, però estic segura que m'ho diràs ara mateix.

—Tens raó. Ho faré —va continuar la dona—. Demà a primera hora ho cremaré tot!

* Per ser justos amb la dona, cal reconèixer que és força difícil.

37

Crema, crema, crema

Asseguda davant de la seva tieta a l'enorme saló de la casa, la Stella no podia creure el que havia sentit. Saxby Hall havia pertangut a la família des de feia segles.

—Cremar la casa? No ho pots fer!

—I tant que puc! —va respondre l'Alberta—. En puc fer el que jo vulgui, criatura. Ara és meva. Cremarà, cremarà, cremarà! I tan aviat com tot hagi quedat reduït a cendra, començaré a construir el museu de mussols més gran del món.

La Stella va reflexionar un moment, i llavors va preguntar:

—Que n'hi ha cap altre?

—No, però això serà el més gran!

A la Stella li costava seguir la lògica de la seva tieta, però res no podia aturar aquella dona. D'un prestatge que tenia a l'abast de la mà, va treure un rotlle enorme de plànols i el va obrir orgullosament davant la seva neboda.

—Hi he dedicat molts anys. Es dirà Mussoleu de lady Alberta.

Els plànols mostraven un edifici gegantí de ciment, en forma de mussol, amb diverses sales diferents. Entre altres coses, hi havia:

- Un cinema de mussols. Només s'hi projectarien pel·lícules relacionades amb els mussols, per bé que fins ara no se n'havia fet mai cap.

- Una cafeteria de mussol, on es vendrien delícies fetes únicament d'excrements de mussol, per exemple, pasta de full d'excrement de mussol, paté d'excrement de mussol en torrades d'excrement de mussol, xocolatines d'excrement de mussol (un regal ideal per fer a un parent ancià del qual et vulguis desempallegar).

- Una biblioteca enorme, que contindria tots els lli-

DELÍCIES DE MUSSOL

bres que s'han escrit sobre els mussols al llarg dels anys. Tots set.

- Un saló de bellesa per a mussols.

- Tres tipus de lavabos: Homes, Dones i Mussols.

- Una sala de conferències, on la tieta Alberta podria fer discursos de quatre hores de durada sobre la història dels mussols.

- Una botiga de records, on es vendrien punts de llibre, didals, material d'escriptori, figuretes de porcellana, clauers i tallagespes. A més d'una enorme selecció de discos gramofònics amb sons de crida d'ocells.

- Una sala lliure de mussols. Aquesta sala estava pensada per als visitants que no tinguessin cap interès en els mussols. A dins hi hauria un mussol.

—El meu Mussoleu em farà rica! —va proclamar la dona, cada cop més engrescada—. Milions d'entusiastes dels mussols vindran d'arreu del món...

«Milions?», va pensar la Stella. La nena estava gairebé segura que la tieta Alberta era l'única membre donada d'alta del Club de Fans Oficial dels Mussols.

—Els visitants entraran per aquí —va dir la dona, assenyalant l'entrada—. Seran rebuts per una estàtua d'or massís de mi mateixa.

—T'has tornat absolutament boja.

—Ets molt amable! Lloança, lloança, lloança! —va respondre la dona amb un somriure—. Després de travessar-la, podran regalar-se la vista amb totes i cadascuna de les espècies de mussol que hi ha arreu del món. Dissecades.

—Dissecades? —va preguntar la nena. En sentir la paraula, en Wagner va alçar les orelles.

—Sí, criatura. Dissecades. Els mussols es comporten molt millor quan estan dissecats. I aquí, al centre del Mussoleu, en una enorme capsa de vidre, hi haurà el meu estimat Wagner.

Ara l'ocell va començar a grallar i a bellugar-se de manera espasmòdica damunt la perxa.

—La major gran òliba de les muntanyes bavareses que s'ha vist mai en captivitat. Dissecada dins de la vitrina per a tota l'eternitat.

La Stella no es va poder estar d'observar la violència amb la qual l'ocell reaccionava als plans de l'Alberta, gairebé com si comprengués cada paraula que deia, i la nena ho va aprofitar per punxar una mica més la seva tieta.

—Llavors, suposo que esperaràs que en Wagner mori per causes naturals, oi?

—Oh, no! —va respondre la dona—. Quan això passi estaria tot vell i arrugat. No. El mataré d'un tret demà mateix a primera hora. El dissecaré en la flor de la vida!

En Wagner va començar a volar en cercles i a gran velocitat per l'habitació, grallant com un boig. Quan l'Alberta va tornar a dirigir l'atenció als plànols del seu Mussoleu, la Stella va pensar que aquell podia ser un bon moment per desaparèixer sense que ningú se n'adonés. De puntetes, es va dirigir cap a la porta del saló.

Just quan hi va haver arribat, l'Alberta va bordar:

—On et penses que vas?

—Bé, jo, d'això... —La Stella estava molt nerviosa, però va intentar que les seves paraules sonessin tan segures i casuals com fos possible—. Doncs bé, pensava pujar a la meva habitació, fer un bany ràpid, canviar-me d'una vegada la camisa de dormir, i segurament després aniré tirant.

—Tu no aniràs enlloc, criatura —va respondre la tieta Alberta, amb un to que de sobte s'havia tornat profundament amenaçador.

La nena va mirar els ulls negres de la tieta.

—No... no? —va tartamudejar.

—No. Saps massa coses. He estat preparant un altre «accident». Especial per a tu.

—Un ac... ac... accident?

—Sí! —La tieta Alberta va somriure, satisfeta—. I a aquest t'asseguro que no sobreviuràs!

38

Assassinat perfecte

La tieta terrible havia planejat un final elaborat per a la seva jove neboda.

—No te'n sortiràs! —va cridar la Stella.

—I tant que me'n sortiré, criatura —va respondre la tieta Alberta amb suavitat—. És l'assassinat perfecte, perquè l'arma del delicte es fondrà i desapareixerà.

—Es fondrà? —La Stella no entenia res—. Què dimonis vols dir?

—Vine amb mi i t'ho ensenyaré.

La dona va agafar la nena de la mà, la va treure del saló i de la casa i la va conduir fins al prat de gespa bombat que ara era cobert de neu. Al final de tot, projectant una ombra gegant, s'erigia l'escultura de glaç de la tieta Alberta.

—El meu mussol de neu! —va declamar la dona amb orgull—. Encara no està acabat. És bonic, oi?

—Per què m'en... m'en... m'ensenyes això? —va preguntar la nena, tremolant de fred una altra vegada.

—Perquè d'aquí a uns instants, aquest mussol de neu caurà damunt teu i t'aixafarà. I tu moriràs. Trucaré immediatament a la policia per informar de la teva desaparició. Però no et trobaran fins a la primavera, quan l'arma assassina ja s'haurà fos. És brillant, oi?

—M... més aviat malaltís! —va respondre la nena, intentant desfer-se desesperadament de la dona, que l'aferrava amb força.

L'Alberta va abaixar la mirada cap a la neboda i va esbotzar un somriure sinistre.

—Som-hi, doncs, criatura, prova de fugir.

Va deixar anar la nena, que va caure de genolls. La Stella va començar a gatejar per la neu, intentant alçar-se desesperadament i sortir corrents. Però la neu era massa fonda, tenia fred, estava cansada i no li quedava gaire força.

La tieta Alberta va córrer cap a l'altra banda del mussol de neu i hi va recolzar l'espatlla. Amb totes les seves forces, va començar a empènyer. Just en aquell moment, des d'un punt elevat del cel, en Wagner es va llançar en picat en direcció a la seva mestressa. L'òliba gegant li va clavar les urpes per aturar-la. La Stella es va adonar que el seu pressentiment havia estat encertat, que l'ocellot havia entès la dona quan l'Alberta havia dit que el pensava dissecar.

—Wagner! WAGNER! Què vol dir, això? —va cridar l'Alberta.

Però l'ocell va continuar atacant la dona grassa, que es va veure obligada a clavar-li un cop de puny al bec.

Això va fer que el pobre mussol caigués a terra, giravoltant en espiral, inconscient.

La dona malvada va reprendre la tasca d'empènyer amb totes les forces l'escultura de neu. Lentament però sense pausa, l'enorme figura va començar a inclinar-se cap a la nena.

—Adéu, Stella! —va cridar l'Alberta.

La nena va alçar la vista. Una enorme massa de neu i glaç li queia al damunt. En un instant moriria aixafada.

–Noooo!
—va cridar la nena.

ESMAIX!

En aquell precís instant, la Stella va notar que sortia volant!

UUUIXXX!

En Gibbon s'havia estampat contra ella. L'ancià majordom havia baixat patinant a tota velocitat pel terreny en pendent damunt la safata de plata, i d'aquesta manera accidental acabava d'inventar l'*snowboard*.

En una mà sostenia una bossa d'aigua calenta, i en l'altra dues copes de xampany.

—El millor Dom Pérignon, senyor! —va anunciar.

Sense ser-ne conscient, el majordom havia salvat

la vida de la noia. Per accident, en Gibbon l'havia tret del lloc on havia anat a petar el mussol de neu. La Stella va aterrar sobre la gespa glaçada amb un...

ZUT!

—Gràcies, Gibbon —va dir la Stella, una mica estabornida, tot incorporant-se damunt la neu.

Però l'ancià majordom, com de costum, ni tan sols es va immutar.

—Aquí dins fa una calor de por, senyor. Abans de sortir, voldrà que obri la finestra?

39

Una lloba grossa i ferotge

La tieta Alberta jeia bocaterrosa damunt del seu propi mussol de neu. Hi havia caigut al damunt. Incorporant-se lentament, el seu rostre es va tornar d'un vermell furiós. Va començar a avançar treballosament per la neu, travessant el terreny en direcció a la seva neboda. La ràbia li havia donat una energia extraordinària. Malgrat que la neu li arribava fins als genolls, el pas de l'Alberta era cada vegada més i més ràpid.

La nena va córrer cap a la porta principal de la casa. La seva tieta l'havia deixat oberta de bat a bat. Quan la Stella la va haver tancat amb balda des de l'interior, l'Alberta va començar a picar contra la fusta.

PUM
PUM PUM!

La porta va tremolar amb la força de les mans poderoses de la dona.

L'Alberta va obrir la bústia i hi va cridar a través.

—Cabreta, cabreta, deixa'm entrar!

La nena va fer un pas enrere.

—No! Mai!

—Aleshores m'enrabiaré, esbufegaré... i ensorraré la porta!

Durant un instant hi ha haver un silenci inquietant, fins que l'Alberta va tornar amb una pala per treure la neu. La dona es va enrabiar i va esbufegar, i la pala va picar contra la porta massissa...

CRAIX!

…fent que un munt d'estelles sortissin volant.

La Stella va fer un altre pas enrere. Era qüestió de segons que la tieta Alberta demolís completament la porta. La nena havia de pensar de pressa. La llar de foc! L'Alberta estava massa grassa per encabir-s'hi. La Stella va córrer cap a la que tenia més a prop, que era la del menjador.

Mentre corria pel passadís, la Stella va sentir que la porta cedia a la subjecció de les frontisses i s'estampava contra el terra.

L'Alberta va irrompre a la casa.

—Vine amb la lloba grossa i ferotge! —va cridar la dona, brandant la pala per damunt del cap, com si fos un arma.

La nena va entrar esperitada al menjador i es va llançar de cap a la xemeneia. Just quan estava desapareixent pel forat…

PESCADA!

L'Alberta la va agafar pels turmells. La Stella va mirar cap a baix i va veure la seva tieta ajaguda al peu de la xemeneia, mirant-la. Els esforços de la nena van fer caure un tros de sutge que havia quedat acumulat al tub. Va anar a parar damunt l'Alberta i se li van omplir els ulls i la boca d'un polsim negre i espès.

—AAAARRRRRGGGHHHH!
—va cridar.

Inevitablement, la dona malvada, que s'ofegava, va haver de deixar anar la seva neboda. Quan va tenir les cames lliures, la nena es va afanyar a pujar per la xemeneia. Aviat va quedar fora de l'abast de la tieta terrible.

—No et podràs escapar —va etzibar l'Alberta—. Sé com tractar els nens entremaliats que s'enfilen per les xemeneies. No serà la primera vegada, i el resultat és absolutament fantàstic. Vaig a encendre el foc!

El final d'un misteri

—Què vols dir, que no serà la primera vegada? —va cridar la Stella des la xemeneia. La nena no donava crèdit al que sentia. Era exactament així com en Sutge li havia explicat que havia mort.

—Has de saber que vaig ser jo qui va fer que el meu germà petit, el teu oncle Herbert, desaparegués ja fa molts anys —va dir la tieta Alberta des de la llar de foc del menjador.

—És clar! —va dir la Stella, gairebé per a si mateixa. Feia més de tres dècades que l'esdevenidor del nadó continuava sent un misteri.

—Quan va néixer, vaig saber que seria ell qui heretaria Saxby Hall, i no pas jo —va explicar la tieta Alberta—. Per això el vaig odiar tant! Igual que odiava el teu pare. Així, en plena nit, vaig entrar d'amagat a la cambra dels nens i el vaig treure de casa.

—Com vas ser capaç de fer una cosa semblant? —va voler saber la nena.

—D'una manera notablement fàcil —va respondre l'Alberta—. El vaig portar fins al riu, el vaig posar dins d'una caixa de fusta i el vaig enviar corrent avall. Vaig pensar que el riu se l'empassaria. Però deu anys més tard, va aparèixer a la porta de Saxby Hall, vestit d'...

—ESCURA-XEME-

NEIES! —va exclamar la Stella. En Sutge... Estava segura que es referia a en Sutge!

—Exactament. —L'Alberta no s'esperava en absolut que la nena ho encertés—. Com dimonis ho has pogut saber?

—Perquè el fantasma d'un escura-xemeneies s'ha passejat durant anys per aquesta casa.

—Els fantasmes no existeixen, nena estúpida!

—Sí que existeixen! Era ell qui m'ajudava.

—Ets completament folla!

Després de tot el que havia passat, la dona seguia sense creure. En Sutge tenia raó, la ment dels adults era massa tancada per creure en res que no fos l'ara i l'aquí.

Per molt que volgués continuar la fugida, la Stella estava intrigada per saber la història completa.

—Com vas saber que l'escura-xemeneies era el teu germà petit?

—Perquè era la viva imatge del meu altre germà, en Chester, el teu pare. Més baixet i més prim, és clar, perquè el pobre pillet s'havia criat en una casa d'orfes, alimentant-se de restes de menjar, però era absolutament clavat a en Chester. I aquest pillet repulsiu no parava de dir que tenia la sensació d'haver estat abans a Saxby Hall. Si hagués passat una mica més de temps, la resta de la família també hauria endevinat qui era. De manera que vaig esperar que s'enfilés per la xemeneia per netejar-la, i aleshores vaig encendre el foc.

—Ets un monstre!

—El millor de tot és que vaig deixar que un dels servents carregués amb tota la culpa.

«Aleshores, en Sutge és el meu oncle!», va pensar la nena. Era una notícia explosiva.

—Aquest noi és l'hereu legítim de Saxby Hall —va exclamar.

—Era un nen. I ara ja fa molts anys que va morir. Només va ser un altre escura-xemeneies mort que ningú no va plorar.

La Stella va reflexionar un instant.

—La meva mare, el meu pare, el meu tiet... Quantes persones més mataràs?

—Només una —va respondre la tieta Alberta—. A tu!

41

Fet i amagar

La dona va anar per feina al menjador mateix, va encendre un misto i va començar a ventar el foc. Uns fumerols negres i espessos van serpentejar xemeneia amunt. Desesperada, la Stella va continuar enfilant-se xemeneia amunt, ajudant-se amb mans i peus. Els ulls li ploraven. En qüestió de segons, gairebé no podria respirar.

En pocs moments el fum havia deixat el pou en una foscor total. Ara no hi podia veure res. De sobte, la Stella va perdre peu i va caure pel túnel en direcció al foc. El seu cos rebotava a banda i banda de la xemeneia, i feia que el sutge es desprengués de les parets i anés caient com pluja al seu costat. De tant que en va caure, el foc es va apagar.

—MALEÏT SIGA! —va cridar l'Alberta, quan la Stella va aconseguir interrompre la caiguda pocs centímetres abans d'arribar a la llar de foc i va començar a enfilar-se cap dalt un altre cop. No va trigar gaire a arribar a dalt de tot de la casa i va sortir per la boca de la xemeneia. Aleshores es va trobar dalt de la teulada. La Stella va romandre un moment allà ajupida, respirant fondo per omplir d'aire els pulmons.

Però quan la nena va obrir els ulls, va veure la part superior d'una escala que apareixia per la vora de la teulada. Res no aturava aquella dona terrible! Aviat va treure el nas una mata de cabells vermells amb sutge incrustat, i després dos ulls afilats, i finalment un somriure malèvol.

—El joc de fet i amagar s'ha acabat! La tieta t'ha trobat!

La dona es va enfilar a la teulada i es va quedar un moment dreta, balancejant-se lleugerament.

—Ara tot depèn de tu, criatura. T'estimes més saltar? O et dono jo l'empenteta?

S'havia fet de nit i la silueta de l'Alberta quedava

emmarcada per una lluna plena que penjava baixa al cel hivernal.

—No te'n sortiràs! —va cridar la nena, que s'aferrava aterrida a la xemeneia.

—I tant que sí. Fins ara me n'he sortit amb tot allò que m'he proposat. Si tens molta sort, potser fins i tot cantaré el dia del teu funeral!

—M'estimo més que no ho facis! —va contestar la Stella—. Quan cantes, sembles la sirena d'un vaixell!

—Com t'atreveixes!

La tieta Alberta va avançar cap a ella, però va re-
lliscar damunt la neu.

BUMP!

Va lliscar per la teulada sobre la panxa protube-
rant.

—AAAAAARRRGGGHHHHHH!!!

Just quan la Stella pensava que la dona estava a
punt de patir una caiguda mortal, l'Alberta va acon-
seguir agafar-se amb els dits a un canaló. Per un mo-
ment l'Alberta va romandre penjada en silenci, però
llavors la nena va sentir la seva tieta que deia:

—Stella? Stellona?

Parlava amb una veu dolça i suau, com si fos la tieta
més amorosa del món.

—Què?! —va exigir la nena.

—Que podries ajudar la teva velleta i estimada tietona?

—No!

—Sisplauet?

—Per què dimoni ho hauria de fer? —va voler saber la nena.

L'Alberta pesava massa per poder-se aguantar gaire més temps amb els dits curts i rodanxons. Un per un, s'anaven desprenent del canaló.

El to de la seva veu es va enfosquir.

—Criatura, si no m'ajudes, hauràs de carregar amb totes les culpes. La del «petit» accident dels teus pares. La de matar la teva vella i estimada tieta.

—Però jo no ho he fet pas! —va protestar la Stella.

—No és això el que semblarà. T'ho ben asseguro. —Les paraules de l'Alberta s'esmunyien com una serp per la ment de la nena—. Tot el país et veurà com una assassina cruel i despietada. Et tancaran cent anys a la presó. Això si no t'envien directament a la forca!

La Stella ja no sabia què pensar.

—Pe... pe... però jo no he fet res dolent! —va protestar.

—Deixar-me morir d'aquesta manera és un assassinat. **A, S, A, S, I, N, A, T!**

No era el moment de corregir els errors ortogràfics de la tieta, i la nena va romandre en silenci.

—Els teus pares et van educar perquè fossis una joveneta de bon cor, oi que sí?

—S... sí...

—No voldràs que s'avergonyeixin de la seva única filla, oi que no?

—Nnn... no...

—Aleshores, dóna'm la mà —va dir l'Alberta—. Et prometo que no et faré mal.

Amb precaució, la Stella va baixar lliscant de cul per la teulada, en direcció a la seva tieta.

—Bona noia —la va encoratjar la tieta—. Confia en mi, criatura. Et prometo que no et passarà res dolent.

La Stella va allargar la mà cap a la dona. L'Alberta la va agafar amb força i, d'una estrebada, va llançar la seva neboda per la teulada.

—Aaaaah! —va cridar la nena, que havia sortit volant pels aires. Però en l'últim instant havia aconseguit agafar l'Alberta pel turmell.

La dona va abaixar la vista cap a la nena que s'aferrava a ella per salvar la vida.

—Si Saxby Hall no pot ser meu, aleshores no serà de ningú!

I dit això, la dona es va deixar anar del canaló, i la parella va caure en picat...

Arrgghhh!

42

Calma mortal

De sobte es va sentir el soroll de dues ales enormes que es batien. Un mussol travessava com una fletxa el cel nocturn.

UOOOIX!

La Stella va notar que en Wagner la pescava al vol.

La tieta Alberta va caure sobre la neu amb un gegantí...

ZUD!

En Wagner va deixar suaument la nena a terra i es va apropar fent saltirons a la seva mestressa. La Stella el seguia de prop. Havien de comprovar si aquella dona malvada estava realment morta.

El cos de l'Alberta havia caigut sobre una pila de neu amuntegada. Romania allà al damunt, perfectament quieta. No se sentia la més mínima respiració ni es notava la més mínima tremolor. Tot estava en calma.

Una calma mortal.

La Stella va respirar alleujada. Aleshores, just quan estava a punt de girar-se d'esquena, va veure que el dit petit de la dona es bellugava. Després la mà. Després el braç. Desconcertada i confosa, l'Alberta es va posar dreta. La neu li havia quedat enclastada. Semblava l'Abominable Dona de les Neus.*

L'Alberta es va quedar allà plantada, fent tentines durant una estona, fins que es va treure la neu dels ulls. No s'havia fet gens de mal. L'enorme pila de neu havia esmorteït la caiguda.

---

* Un gran simi blanc i pelut que viu a les muntanyes de l'Himàlaia, al Nepal.

—Bé doncs, per on anàvem? —va dir l'Alberta, somrient—. Ah, sí. Estava a punt d'acabar amb tu!

Mentre la nena arrencava a córrer per la neu, en Wagner va sortir disparat cap al cel. Va començar a volar en cercles mentre grallava embogit.

GRALL
GRALL
GRALL!

Era un so que la nena no havia sentit fer mai al mussol.

A no gaire distància, dels arbres que envoltaven Saxby Hall, va arribar tot d'una un cor d'udols. Els ocells estaven responent en Wagner. Les branques dels arbres van cruixir en el moment que centenars de mussols van emprendre el vol.

La Stella no tenia temps per pensar en el que estava passant. Havia de córrer. Però cap a on? Va ensopegar damunt la neu. La seva tieta l'encalçava. Es va treure unes batolles de la butxaca interior de l'abric i les va balancejar per damunt del seu cap.

UOP UOP UOP...

L'Alberta les devia haver agafat de l'armadura del rebedor. Les batolles eren una arma especialment perniciosa. Tenien un mànec llarg de fusta, amb una cadena a la part superior, i una bola de metall amb punxes mortíferes a l'extrem. Amb aquell objecte podies matar un home d'un sol cop. Aquelles batolles en particular no havien estat usades com a arma des de feia centenars d'anys. Fins ara.

—Sisplau, Alberta. T'ho suplico... —va pregar la Stella.

UOOP UOOP UOOP...

Però la dona continuava fent giravoltar les batolles cada cop més de pressa per damunt del seu cap.

—Espero que la teva vida patètica t'estigui passant com un flaix per davant dels ulls, criatura. Però això és el final. **F, I, M, A, L.** FINAL!

Dit això, l'Alberta va brandar les batolles per etzibar el cop definitiu.

—**Nooooo!** —va cridar la Stella.

Però abans de poder deixar-les caure contra la nena... centenars de mussols van arribar volant veloçment des del cel.

ZUM!

Des de la cria de mussol més petita fins a l'òliba grisa més gegantina, tots junts van engrapar la dona entre les urpes i, d'una sola estrebada, la van enlairar i se la van endur cel enllà.

Aaaaaaaaaaaaahhhhhhh

hhhhhh!!!!!! —cridava ella mentre deixava anar les batolles, que van caure damunt la neu.

ZUD!

Des de la teulada, en Wagner udolava ordres sorolloses als seus congèneres.

La Stella no podia fer més que contemplar l'escena, astorada. La tieta Alberta bellugava els peus i xisclava mentre l'esquadró de mussols la transportava cada cop més amunt, vers el cel nocturn. La neu s'anava desprenent d'ella a mesura que la pujaven amunt, amunt, més enllà dels núvols. Aviat la donota no va ser gaire més que un petit punt en el firmament. La Stella no gosava parpellejar. Necessitava saber que aquell era realment el final de la història.

—SQUAK! —va cridar en Wagner, enviant una ordre eixordadora als seus amics plomats.

Immediatament, tots els mussols van obrir les urpes i van deixar anar la dona.

—AAAAAAAAA AAAAAAAAARG GGGGGHHHH! —va cridar l'Alberta mentre baixava i baixava des de les altures.

Molt lluny, en un camp distant, es va sentir un ZUD! estrepitós, senyal que el cos de la dona havia picat contra el terra. La Stella gairebé va perdre l'equilibri quan la terra va tremolar una mica.

Per fi, la seva tieta terrible havia desaparegut. La nena va sospirar alleujada i va cridar el valent mussol.

—Wagner! —L'ocell va tornar tot fent saltirons fins al lloc on s'estava la nena—. Gràcies —va dir ella, i el va abraçar. Lentament però amb seguretat, ell va obrir les ales i també la va embolcallar.

—M'has salvat la vida —va murmurar la nena.

El gran ocell va respondre amb un xiulet suau. La Stella no sabia què volia dir el mussol exactament, però en certa manera el va comprendre.

—Wagner, necessito que m'ajudis. —L'ocell va inclinar el cap. L'estava escoltant. La nena va gesticu-

lar per explicar-se millor—. Necessito que em portis volant al llac. —Va assenyalar en aquella direcció—. Hem de trobar en Sutge... vull dir el meu oncle.

La nena va muntar sobre el llom de l'ocell, i es va aferrar ben fort al plomall que coronava el seu cap. Amb el pes afegit, en Wagner necessitava agafar carrera per poder enlairar-se, però ho va aconseguir. Per a la Stella va ser molt emocionant, era com pilotar un avió. La sensació era esplèndida. Estava volant. Amb les estrelles damunt seu i la cabellera al vent. Mentre el mussol planejava per sobre del llac, la noia el va inspeccionar per veure si trobava algun rastre del fantasma. Els fragments de glaç que suraven damunt l'aigua resplendien sota la llum de la lluna. Ara tot semblava tranquil i quiet, sense rastre del drama que havia tingut lloc sobre el glaç unes hores abans.

Primer la Stella va localitzar la forma ombrívola del Rolls Royce, que s'havia enfonsat en les profunditats del llac. Llavors la nena va divisar una petita figura sota el glaç, al fons del llac, embolcallada en uns joncs glaçats.

—Allà! —va indicar. En Wagner va seguir la direcció que li assenyalava amb la mà, i van aterrar en el tros de glaç més gran que van trobar.

—És al fons de tot! —va dir la Stella, observant des de la superfície del glaç les profunditats congelades del llac. La nena no sabia si un fantasma podia tornar a morir-se. Però quan el va veure ajagut i immòbil, sense cap expressió al rostre, va témer el pitjor. Aleshores va sentir un

ESPLAIX!

en el moment que en Wagner es va capbussar. La Stella va contemplar astorada com el mussol valent bussejava per rescatar el noi. Amb el bec, en Wagner va mossegar la camisa d'en Sutge, i van sortir disparats cap a la superfície.

La nena es va agenollar, va alçar el fantasma fins a la superfície de glaç i després va ajudar a pujar el mussol. En Wagner es va sacsejar per assecar-se, mentre la Stella s'ajupia damunt la pobra figura inerta.

—Oncle Herbert... —va xiuxiuejar—. Oncle Herbert.

El fantasma va escopir una mica d'aigua, que va anar a parar directament a la cara de la nena.

—Qui diantre és l'oncle Herbert? —va preguntar.

—Estàs viu! —va exclamar ella.

—No, estic mort —va respondre ell. El fantasma va mirar la nena com si fos una mica ximpleta.

—És clar —va contestar la Stella.

—I qui és aquest oncle Herbert?

—Ets tu! En realitat, el teu títol complet és lord Herbert Saxby de Saxby Hall!

—I ara! —El fantasma va negar amb el cap—. Què us heu begut l'ampolla de xerès, milady?

43

La promesa

Un cop van estar sans i estalvis, i abrigats a l'interior de Saxby Hall, van seure a la sala d'estar. La nena va revifar el foc i va explicar tota la història a en Sutge. Que en realitat l'Alberta era la seva germana, que l'havia ficat en una caixa i l'havia abandonat al riu quan era un nadó.

—Així és com la gent de l'asil va dir que m'havien trobat! Surant al riu Tàmesi dins d'una caixa.

La Stella va explicar al seu oncle que la seva pèrfida germana l'havia reconegut el dia que havia tornat, i que havia encès el foc deliberadament per desfer-se definitivament d'ell.

En Sutge estava molt sorprès, però tot plegat tenia sentit.

—El dia que em vaig presentar a Saxby Hall, vaig saber que hi havia estat abans. Ho sentia en el moll de l'os.

El fantasma entomava les novetats amb els ulls oberts d'admiració.

—Ostres, qui ho hauria dit? Pobre de mi! Jo, un lord! Ha ha! —L'escura-xemeneies va riure de valent només de pensar-ho, i va començar a parlar com ell pensava que era la manera *pija* de parlar.

—Hola, sóc un lord, saps? O sigui, què passa, no?

La Stella també es va posar a riure.

—Però és la veritat! Aquesta casa et pertany legítimament! Ara em sap greu haver pensat que eres un desgraciadet.

En Sutge va deixar anar una rialleta.

—No hi fa res, milady.

—No hauria d'haver estat tan esnob. Ara sé que no importa que t'hagis criat en una casa d'orfes o en un palau. En realitat som tots iguals.

El fantasma va somriure.

—I tant que ho som, milady.

—No cal que em segueixis dient així. Amb Stella n'hi ha prou.

—Molt bé, milady Stella.

Tots dos van riure plegats, però en Sutge no es va poder estar de dir, amb un somriure de suficiència:

—Però tu sí que m'hauràs de dir altesa!

Just en aquell moment, des del vestíbul, el rellotge de l'avi va tocar la mitjanit.

BONG BONG BONG BONG BONG BONG BONG BONG BONG BONG BONG BONG

La Stella es va adonar que era la vigília de Nadal. El dia del seu aniversari.

—Acabo de fer tretze anys! —va dir, emocionada.

El rostre del fantasma es va enfosquir.

—Què passa? —va preguntar ella.

—T'estàs fent gran. Ben aviat deixaràs de veure'm.

—No! Sempre et veuré! —va protestar la Stella.

—No. —El fantasma va negar amb el cap—. Els adults no ens poden veure.

Al començament, la Stella gairebé no se'n va adonar, però la silueta del fantasma s'estava desdibuixant.

—T'estàs esvanint... —va dir amb suavitat.

—Què t'havia dit, milady? Val més que ens acomiadem ara mateix.

—Però jo no vull que marxis —va suplicar ella—. Ets l'únic familiar que em queda.

—No me'n vaig enlloc —va respondre el fantasma.

—Però t'estàs esvanint aquí mateix! Davant dels meus ulls!

—Ja t'ho vaig dir, que això passaria! Tu volies ser gran, però ser petit és una cosa molt especial. Quan ets un nen, ets capaç de veure tota la màgia que hi ha al món.

La nena estava desconsolada.

—Aleshores no em vull fer mai gran!

La resplendor del fantasma gairebé havia desaparegut. La Stella no gosava parpellejar, tement que si tancava els ulls, quan els tornés a obrir s'hauria esvanit del tot.

—Tothom ha de fer-se gran, al final —va respondre el fantasma—. Però encara que no em puguis veure, jo sempre seré aquí, al teu costat. I ara promet-me una cosa, milady.

El fantasma s'estava desdibuixant per moments.

—Sí! Sí! Quina? —va pregar la Stella.

—Promet-me que encara que ja no puguis veure la màgia del món amb els teus ulls, hi creuràs en el fons del teu cor.

—T'ho prometo —va xiuxiuejar ella.

L'última cosa que la Stella va ser capaç de veure va ser la ratlla, amb prou feines perceptible, del somriure del fantasma.

I llavors va desaparèixer.

Epíleg

Aquell any, el dinar de Nadal a Saxby Hall va ser certament inusual. A la gran taula del menjador només hi seien tres comensals. La Stella, en Wagner i en Gibbon. En comptes del tradicional gall d'indi amb la guarnició corresponent, l'ancià majordom va servir un arbust rostit. Estava molt dur, i no era gaire saborós, però la intenció era el que comptava.

El dia de Sant Esteve va arribar i es va acabar, i la nena va prendre consciència que havia d'afrontar la realitat i assabentar-se del futur que l'esperava. Per molt que desitgés quedar-se a Saxby Hall, la Stella sabia que tota sola no podria ocupar-se de la casa. De manera que va tornar a connectar el telèfon, i va trucar per demanar ajuda.

Com que legalment encara era una nena, els responsables van decidir que la Stella havia d'ingressar en un orfenat. Només quan arribés als divuit anys podria heretar oficialment Saxby Hall. L'orfenat estava ple de nens que també havien perdut els seus pares, o que mai els havien conegut. Era la llar dels més pobres entre els pobres.

Malgrat els esforços de l'amable matrona que el dirigia, l'orfenat era massa petit per a tots els nens que hi havia. Centenars de nens compartien un únic dormitori. Havien de dormir quatre per llit. Es banyaven només una vegada al mes. No hi havia cap espai exterior per jugar.

La Stella havia tingut una infantesa plena de privilegis, vivint en una mansió enorme. Per molt que intentés dissimular-ho, la vida a l'orfenat l'entristia. Ara comprenia per què el pobre Sutge havia fugit de l'asil. Algunes nits no podia evitar plorar abans d'anar a dormir. Desitjava una vida millor no només per a ella, sinó per a tots els nens de l'orfenat.

Per això, un matí va anar a explicar a la matrona la idea que havia tingut. Per què no traslladaven l'orfenat sencer a Saxby Hall?

—Si n'esteu segura, lady Saxby —va dir la matrona.

—Sóc la Stella i prou, i sí que n'estic segura —va contestar la nena—. De què serveix una casa tan gran com aquella si no hi ha ningú a dins?

Un gran somriure es va dibuixar al rostre de la matrona.

—És una idea esplèndida! Als nens els encantarà!

I així va ser. Per fi, cadascun dels petits va tenir el seu propi llit. Cada vespre es banyaven amb aigua calenta. A l'estiu s'organitzaven jocs sobre la gespa i anaven a nedar al llac.

En realitat, era com si a Saxby Hall sempre fos estiu. En Gibbon, l'ancià majordom, entretenia els orfes quan feia de les seves. Els nens més valents fins i tot muntaven al llom d'una gran òliba de les muntanyes bavareses anomenada Wagner.

Com és natural, la Stella es va fer gran, però Saxby Hall va continuar sent una llar per a infants. Era l'orfenat més feliç del món.

SAXBY HALL
UNA LLAR
PER A TOTS
ELS NENS

Avui en dia, si aneu a visitar-la, potser hi veureu una dona molt velleta que juga sobre la gespa amb un petit grup d'orfes.

Aquesta velleta es diu Stella. Stella Saxby. Té més de noranta anys, i ja no deixa que ningú li digui lady. Amb Stella ja n'hi ha prou.

I si sou nens, potser fins i tot veureu una altra cosa.

Una cosa que els adults no podran veure.

El fantasma d'un petit escura-xemeneies, que juga alegrement amb la resta d'infants del jardí.

Una carta de queixa

Apreciat lector,

Permeteu que em presenti. Em dic Raj i sóc el propietari d'un quiosc. Sóc ben conegut per les meves excel·lents ofertes especials. Només avui, venc disset ampolles de llimonada pel preu de divuit. Fins ara havia tingut un paper protagonista en els sis llibres anteriors de David Walliams (sí, realment es diu així). El noi del vestit *va ser el primer, seguit per* Un amic excepcional, El noi del milió, L'àvia gàngster, Les hamburgueses de rata, *i finalment* La dentista dimoni.

Imagineu la meva sorpresa quan vaig llegir la seva última creació, La tieta terrible, *i vaig descobrir que jo mateix, en Raj, n'he quedat absolutament fora. Per-*

sonalment, el llibre em va semblar molt avorrit, perquè passava tot en els vells temps. A qui li importa? És una ximpleria! Prefereixo Ronald Dahl, de lluny.

Que em marginessin totalment d'aquest llibre em va posar furiós. Tan furiós que vaig arribar a aixafar una ensaïmada amb les meves pròpies mans. Ja ho sé, és una cosa molt masculina.

La majoria de nens que vénen a la meva botiga em diuen que només llegeixen els llibres del Sr. Willdonuts (o com es digui) perquè jo, en Raj, hi tinc un paper protagonista. Hi ha un exèrcit cada cop més nombrós de fans d'en Raj, o Rajòfils, per fer servir el nom que s'ha posat tan de moda. Igual que jo, acostumen a saltar-se els trossos més avorrits per buscar els capítols on surto jo.

Per tot plegat, us demano que afegiu la vostra signatura a la petició que figura al final d'aquesta pàgina, exigint que jo, en Raj, sigui reincorporat en el proper llibre. També he escrit al primer ministre i a la reina, i ambdós m'han escrit unes cartes molt amables demanant-me que no els torni a molestar mai més.

Si el Sr. Winkleculots (per mi, com si es vol dir així) conserva algun bocí de seny (cosa que dubto), m'escoltarà a mi i els milers de milions de Raj-ò-fils que hi ha arreu del món.

Iradament,

Raj

PS L'ensaïmada que vaig esclafar amb les meves pròpies mans està disponible a la meva botiga, a meitat de preu.

Signeu aquí la petició d'en Raj:
www.worldofdavidwalliams.com

Agraïments

Voldria donar les gràcies a les persones següents:

Charlie Redmayne, cap suprem de HarperCollins.

Ann-Janine Murtagh, que és la cap de llibres infantils d'aquella casa.

Ruth Alltimes, la meva brillant editora.

El gran Tony Ross, que un cop més ha donat vida a la història amb la màgia de les seves il·lustracions.

Kate Clarke, la dissenyadora de la coberta.

Elorine Grant, que ha dissenyat el dins del llibre.

Geraldine Stroud i Sam White, que s'encarreguen de la publicitat.

Paul Stevens, el meu agent literari a l'agència Independent.

Tanya Brennand-Roper, que produeix les versions en àudio dels meus llibres.

Finalment, és clar, un agraïment enorme a la senyora Barbara Stoat, que és qui escriu tots els meus llibres.

Espero sincerament que us agradi el llibre. Jo no l'he llegit, i per tant no us puc dir de què va.

DAVID WALLIAMS

Montena